『サルバトール・ムンディ』（レオナルド・ダ・ヴィンチ）
左右の目の高さのちがいや左の肩の位置などに注目したい。救世主イエス・キリスト像でありながら左右対称な姿になっていないところにダ・ヴィンチの意図が見える。

第5章

モナ・リザの微笑の謎を解く

美術家 花山水清 *Hanayama Suisei*

モナ・リザの左目

非対称化する人類

藤原書店

モナ・リザの左目

目次

第3章 古代アンデス文明に刻まれた「アシンメトリ現象」

モナ・リザの左目

非対称化する人類

イラスト　花山水清

はじめに――人類の左半身に現れた異変

本書は私が数回にわたって武蔵野美術大学で講演した内容がベースになっている。私を講師として呼んでくださった関野吉晴先生は文化人類学者であり医師でもあるが、テレビ番組の『グレートジャーニー』シリーズの探検家としてご存じの方が多いだろう。

この講演は先生の研究室が主催する「地球永住計画」の連続講座の一貫として行われたもので、それまでにはさまざまな分野の専門家が登壇していた。そこで私は、美術家として長年人体を観察して発見した「アシンメトリ現象」の話をさせていただいたのである。

「アシンメトリ現象」とは、ある日突然、人体の左半身の形と知覚が変化してしまう異常な現象だ。本来なら左右対称であるはずの体が左右非対称になる。しかもそこには「左にだけ現れる」規則性まで存在している。単なる左右非対称な現象を扱った学問分野は多いが、その非対称性が左側だけという側性をもつと、それは全く別次元の話になる。まずはそのちがいをしっかりと認識していただきたい。

この現象は私が発見するまでだれにも知られていなかった。だがちょっとしたきっかけでだれにでも現れる。もちろん私の体にもある。SF映画でいえば、人類が全く気づかないうちに宇宙人によって刻印されたイニシエーションのようで、一旦これが体に刻みこまれてしまうと自然に消えることはない。またかんたんに取り去れるものでもない。

しかもこの現象は腰痛からがんに至るまで、驚くほど多くの疾患と密接に結びついていることがわかった。しかしそういった個々の疾患よりもさらに深刻なのは、この現象が人類にとって危機的な意味を持っている点だ。体が左右非対称になるのは単なる個性ではない。絶滅に向かう種《しゅ》に見られる特徴的な現象の一つなのである。

「アシンメトリ現象」そのものは太古の昔から世界各地に存在していた。ところが近年は急激にその割合が増加し、今や世界中で新生児にまで頻繁に見られるようになっている。これは「アシンメトリ現象」の原因となっている有害物質がこの半世紀で環境中に急増した結果である。その影響がそろそろ閾値に近づいているのかもしれないのだ。

この現象の存在に危機感をもった私は、二十五年以上にわたってあらゆる角度から調査と原因解明の研究を続けてきた。その範囲は私の専門である美術に始まり、医学や人類学、生物学、歴史、民俗学、果ては古病理学にまで至る。その全てを本書で網羅しようとすれば、内容が断片的にならざるを得ない。だがそこに通底するのは、この現象の影響力の途方もない大きさなのである。

ここでお伝えするのは、これまで私が調べ抜いてきたあらゆる事柄を、「アシンメトリ現象」というフィルターを通して再構築した結論だ。もちろんこの現象は新発見であるがゆえに、どの分野の教科書にも載っていない。これがすでに教科書に載っているようなことなら、そこから引用するだけですむからかんたんだろう。逆に全く未知の現象を一から説明するのはなかなか難しいものである。

美術の世界では、何よりも作品のオリジナリティが求められる。ところがゴッホやセザンヌのようにオリジナリティにあふれた作品は、同時代の人からは全く評価されなかった。時代が変わり、見る人の目が変わって初めて名作だと評価されるようになったのだ。

その点、本書の内容は私の発見であるから全てがオリジナルである。これは同時代の読者の目にはどのように映るだろう。そう考えるといささか心もとない気もする。しかし本書を通して美術家の目が捉えた世界を追体験していただければ、これまでとは全くちがう世界が見えてくるはずだ。

「アシンメトリ現象」の調査でペルーの国立考古学人類学歴史博物館を訪れた際にも、私の研究の概要を読んだ同館のイルダ・ヴィダル博士は、「私はこれまで、骨をそんな目で見たことがなかった」といって興味を示してくださった。

本書を読み終えたとき、あなたにも「そんな目」を獲得していただけること、そして今後はその目を活かして、人類共通の問題である「アシンメトリ現象」に興味をもっていただけることを心から願っている。

花山水清

美術編

「アシンメトリ現象」から見た美術

第1章

美術家が見つけた人体の「アシンメトリ現象」

『スーパーマリオブラザーズ』(任天堂)

1985年に登場し、正に一世を風靡したファミコンゲーム。40キロバイト程度の驚くほど小さなデータで描かれたゲームの世界に、多くの子どもだけでなく大人までが没頭した。このゲームの登場を機に子どもをとりまく視覚世界が一変してしまった。

1　ＴＶゲームが子どもの絵を変えた

歴史区分では現代に近い時代のことを近代という。従って昭和のうちは、明治から太平洋戦争までを近代としていた。しかし平成が終わって令和になってみると、ずっと現代だと思っていた昭和が近代となり、遠い過去へと追いやられてしまった。ところが還暦をとうに過ぎた私の時代感覚は、平成どころか昭和のままなのである。

その昭和のころ、私は子ども向けの絵画教室を開いていた。子どもたちの繰り出す多彩な表現は私にとって驚きの連続だった。その衝撃が私自身が絵を描くことに限界を感じた要因でもあったのだ。

ある日、小学校一年生の男の子がうれしそうにゴミ箱の絵を見せてくれたことがあった。彼はゴミ箱を画面の中央に描き、余白にはゴミ箱に捨てられたゴミの一つ一つが、展開図のように丹念に描き込んである。彼の母親は息子がそんな題材を選んだことを恥ずかしいと感じているようだった。だが私の感想は全くちがった。彼の絵のなかでは、大人がその存在すら忘れ去ったゴミの一つ一つが、宝物の一つ一つとして輝いているように見えたのだ。

子どもたちの作品は、大人が自意識や既存の様式を介して再現したものとは全く比較にならない。単に写真的な表現をリアリズムだと考えているような大人には、決してまねができない。

本来のリアリズムとは、どれだけ刷り込みのない目で対象を観察できるかにかかっている。しかし成長とともに、他人の評価や従来の価値観を通してしか対象を見ることができなくなってしまう。そんな大人に子どもの作品を完全に理解することなど不可能だろう。子どもの目には勝てない。これが絵画の世界の真実なのである。

ところがあるとき、それまで全く見たことのない絵を描き始めた子がいた。これは何だろうと思っていたら、当時、流行し始めていたテレビゲームを題材にしていたのだ。例えテレビゲームの世界でも、子どもにとっては現実だ。それは実体験と変わりがない。だが何かが変だった。そこには平面を重ね合わせたような奇妙な空間が描かれている。次元を超えた子どもらしい視点や、自由な空間表現とは全く異質なものだった。そしてこの違和感は、私のなかで時代の変化として記憶された。

実は数年前に観た日本の怪獣映画にも私は同じ印象をもった。映像にCGが多用されていたからだろうか。しかしハリウッド映画のCGなら、映像には強い臨場感がみなぎっていて違和感をもったことはない。アニメーションでも、宮崎駿の作品は昔ながらの空間把握で描かれているから、これも理解できる。

ところが二〇一六年制作のその作品はちがった。私の目には、平面を重ね合わせたようなあの奇妙な絵の世界にしか見えてこなかった。そして立体を感じられないまま、映画は終わってしまった。その映画は作品としては高く評価されていたようだから、あの映像をだれもおかしいと感じていないことにも驚いた。私が気づかないうちに世の中が大きく変わっていたのだ。では何が変わったのだろうか。

2　人体の形の異変に気づけない現代人の脳

私が油絵科の学生だったころ、アクリル絵具とエアブラシが登場した。この新しい素材の登場で、油絵の世界までが一変した。エアブラシを使えば、たちまち写真のようなスーパーリアリズムの絵画が描けるのだ。

しかし当時のエアブラシで仕上げた絵画はリアルであっても全く立体感がなかった。絵画のことをよく知らないと、写真をそのまま写して描けば本物に見えると思うのだろう。だが写真をそのまま描いても、それは単に写真を写した絵にしかならない。多少なりとも鑑賞眼があれば、写真を見て描いたことは即座にわかる。いくら微細に表現してあっても立体になっていないのだ。

絵画で立体を表現するには、対象物の後ろに回り込むような空間処理が必要だ。立体そのものを見て描けば、無意識のうちに立体としての空間を描こうとするものである。それができないと立体なのは表だけで、後ろ側には平面しかないレリーフ（浮き彫り細工）のような絵になってしまう。だから当時のわれわれはエアブラシなんかダメだと思っていた。

ところがレリーフ状の薄っぺらな立体もどきの絵は恐ろしい勢いで世界に氾濫し、リアリズム表現としてすっかり定着してしまった。それを見てももうだれも違和感をもたなくなっている。これは見方が変わったのではない。この半世紀のうちに絵を見る人の脳そのものが変化したのである。

しかし元々人間は対象物を平面で把握することはできなかった。動物は今でも平面と立体の区別ができていない。だからネコは鏡に映った自分の姿を敵だと思って攻撃する。自然界にはいわゆる平面の概念は存在しないのだ。

人類最初の絵画だといわれる洞窟壁画にしても現代人には平面に見える。だが当時の人々にとっては立体の世界なのである。盛んに宗教画が描かれていた中世のころも平面に描かれた姿は立体の延長だった。写真が登場した一九世紀になっても人々はまだ立体と平面とを混同し、写真を撮られると魂を抜かれると思って本気で恐ろしがっていたほどだ。人間がようやく立体と区別して平面を理解できるようになったのはごく最近のことである。

それが近年では平面と立体との境目がどんどんあいまいになっている。今や平面は立体の延長ではなく、立体が平面の延長となることで主客が逆転しつつある。さらにヴァーチャル・リアリティの出現とともに、若い世代ではとうとう脳まで変質してしまった。そしてあろうことかこの逆転現象は、映画だけでなく医療の世界にまで浸透している。

今の医療では目で見て手で触ればわかることでも、全て画像や数値に変換してしまう。そうやってデジタル化しなければ患者の体の状態を把握できなくなっている。その結果、デジタル化しきれなかった情報は、はなから存在しなかったことになるのだ。

3　美術の技術が医学では特技になる

私の友人に大学病院に勤務している医師がいる。久し振りに会ったら、彼女の首元が異常に腫れているのに目が行った。「どうしたのか」とたずねると、よくぞ気づいてくれたといわんばかりに「これはバセドウ氏病だから治らない」というのだ。

バセドウ氏病は甲状腺が大きく腫れるのが特徴の自己免疫疾患である。しかしこれだけ腫れているのに同僚の医師たちは彼女の異変にだれも気づかなかったそうだ。

それではなぜ専門家である医師たちが気づかないのに、美術家の私にわかったのだろう。だれもが人間の体のことなら医師が一番くわしいと思っている。ところがある意味では、医師よりも美術家のほうが人間の体を熟知しているのである。美術家であればだれでも、体の形を知るために人体デッサンを繰り返し訓練してきているからだ。

人体デッサンでは対象の形をよく見る必要がある。見るといっても、漠然と見るのと注意深く見るのとでは大きくちがう。人間は見ているようでも全く見えていないことが多いものだ。だから毎日見ているはずの奥さんの髪型や化粧の変化にも気がつかない。「見ていないのか」と訊かれれば「見ている」と即答する。しかし見ていても全く見えていないから、奥さんに怒られてしまうのだ。

人間は五感から得る情報のうち八〇パーセントを見ることで得ているといわれている。しかし私は若いころ、特殊美術の業界で仕事をしていたので、手で触れることで対象物の形や質感を確認する感覚も鍛えてきた。場合によっては、目で見るよりも手で触れたほうが正確に情報を得ることができる。もちろんこのような技術は美術の世界ではありふれたものだから、特に意識したこともなかった。

ところがこれを医学に応用してみるとたちまち特殊技術に昇格する。美術の技術で読み取った情報を医学知識というフィルター越しに眺めてみると、医師だけでなく美術家にも見えていなかったものまで見えるようになったのだ。

4　美術家だから発見できた左半身の異常

今から二五年ほど前、私は知り合いの高齢者の体を見ていて、人体にはある種の特殊な形があることを発見した。脊柱起立筋の腰の部分が左側だけ固く盛り上がっていたのだ。体の形が左右で多少ちがうだけなら珍しいことではない。私が驚いたのはその筋肉の異様なしこりが他の人でもみな同じように左側だけにあったからである。

盛り上がった左の起立筋

ヒトの体の形は内臓を除いてほぼ左右対称だ。少しぐらい非対称になっていても、それは単なる個性だと考えられている。しかしその非対称性が片方（この場合は左）だけに現れる規則性があるなら、それは明らかに特殊な現象なのである。

そこで私は、その後も体の形を注意深く観察し続けた。すると左の脊柱起立筋だけでなく、他の部位にも左側だけに現れる特殊な形があることがわかってきた。

さらに形だけでなく、知覚も左半身だけが鈍くなっていた。軽く手で触れただけでも、本人すら気づいていない知覚の左右差が私にはわかる。手で圧をかけてみると、鈍くなっている左半身は明らかに右に比べて抵抗感が強い。その左右の感触は豆腐とこんにゃくほどもちがうのだ。

この異常が気になった私は試しに医師にも触ってみてもらったが、感触のちがいなどわからないといわれた。しかしこれが多種多様な素材を扱う特殊美術の業界なら、この程度のちがいを識別できないようでは仕事にならない。従ってこれは美術家ならではの特殊な技術なのだろう。

5　医学に越境した美術

左右対称であるべき体が非対称になるとき、この現象は何を意味するのか。この疑問の答えを探して調査を続けるうち、これが日本だけでなく世界中で見られる現象であることがわかってきた。最初は年寄りだけのものかと思っていたが、よく見れば若い人や新生児にまである。しかも若い世代ほど頻度が高いようだった。これはひょっとすると種《しゅ》としての人類にとって危機的な状況かもしれない。そう考え出したら腹の底が重く沈み込むような感覚に襲われた。

虫や鳥なら、絶滅が近づいている種には羽などの大きさに左右差が出始める。ところが私が見つけたこの現象は単なる左右差ではない。必ず左半身に現れる規則性がある。規則性があるとなると問題はさらに深刻なのだ。

ところが目で見てわかることなのに、この現象の存在にはまだだれも気づいていない。美術家や医師だけではない。歴史上のだれも気づいていなかったのでこの現象には名前もない。ゼロの観念のように、名前がつくまではこの世に存在していないことになる。そこで私はこの現象が左右非対称であることから、「アシンメトリ現象」と名づけた。

そしてこの発見以降の私は、「アシンメトリ現象」の謎を解くために美術から逸脱し、医学の世界へと越境を始めた。しかし美術家の私が、不惑の年齢から医学を独学するのはやさしいことではなかった。医学の側から美術の垣根を越えるのはたやすいだろうが、その逆となると苦難の道であり批判も受けた。

それでも過去にこういった事例がなかったわけではない。第二次大戦後、戦争で職を失った機械工学や遺伝子工学、生物化学などの優秀な人材が、異業種である医学の世界に数多く参入した。そのおかげで医学は急速に進歩したのである。

そこで遅まきながら私も美術から医学への参入を試みて四半世紀が過ぎた。今では美術と医学の異種交配に成功し、美術の遺伝子を受け継いだ新種の医学を生みだすこともできた。この新しい医学が世界に受け入れられて人類を救うのか、それとも単なるキメラに終わるのか、その行方は私にもわからない。

6 「アシンメトリ現象」に気づいていた解剖学者・三木成夫

私が発見した「アシンメトリ現象」は、体の形と知覚が左側だけ変化する。この規則性に気づいたとき、私は鳥肌が立つほど驚いた。恐れおののいたといってもいい。ところがこれほど衝撃的な現象であるのに、だれに伝えても全く驚いてくれない。そのことに私はさらに驚いた。

発見した当初は、これほど身近でわかりやすい現象なのだから、私が知らなかっただけだろうと考えた。そこで主だった医学関係の本を調べてみたが、そのものずばりの記述は見つからなかった。それから数年が過ぎたころ、たまたま近所の書店で手にとった本のなかにようやくそれらしい記述を見つけたのである。

著者の三木成夫（一九二五―八七年）は東京大学の解剖学教室出身で、養老孟司さんの先輩でもある解剖学者だ。彼の『人間生命の誕生』には、「不調を訴える学生は、背中の左側、ちょうど胸椎七〜九番あたりの筋肉にしこりを持っている人が多い。この部分を手で押すと、防御反射が起こる」と書かれていた。これは明らかに、私が見つけたあの左脊柱起立筋のしこりのことなのだ。

ところが続けて三木は「左に多いがもちろん右もある」と書いて、この現象が左だけの現象であることを否定している。確かに見る角度によっては右側が盛り上がっているように見えることもある。だが調べるときの体位をうつ伏せに限定していれば、盛り上がっているのは必ず左側の脊柱起立筋であることがわかる。本当は彼も、これが体の左側だけの現象だと気づいていたのではないか。そうでなければこういう書き方にはならない。「片側の起立筋が盛り上がる」と書けばすむことだ。それをわざわざ「左に多いが右もある」などとつけ足してしまったのは、無意識のうちに彼のなかの医学常識が邪魔をしたのではないか。

「そんなはずはない」「そんなことはあり得ない」という否定の言葉は、常識に支配された世界の常套句である。特に科学の世界では新発見に対する反応として使われることが多い。しかし科学の歴史とは、従来の常識を覆すことによってのみ進歩してきたはずではなかったのか。

ドイツの気象学者アルフレッド・ウェゲナー（一八八〇―一九三〇年）があるとき世界地図を眺めていると、南大西洋を挟んで南アメリカ大陸の東側とアフリカ大陸の西側の海岸線とがよく似ていることに気がついた。そこでこれら二つの大陸が元は一つの大陸であったと考えて、「大陸移動説」を発表したのである。彼は気象学者なので地質学の専門家ではない。その彼に向かって当時の専門家たちから投げられたのも、「そんなはずはない」という否定の言葉だった。

しかしフランシス・ベーコン（一五六一―一六二六年）もウェゲナーと同じように考えていたし、素直な目で世界地図を見れば小学生でも同じ発想になる。ところがそれを実際に確かめてみたのは専門外のウェゲナーただ一人だったのである。

私も医学の専門家ではない。だから体の専門家であるはずの医師や自然科学の研究者たちに向かって、繰り返し人体の「アシンメトリ現象」の存在を訴えてきた。しかし彼らはみな「そんなことはあるはずがない」といって即座に否定し、自分の目で確かめてみようともしない。なかには確認してくれた人もいるにはいたが、一瞬ハッとした表情を見せただけで、あとは何も見なかったかのようにだまりこんだ。美術の専門家ですら同様の反応を示したのである。

では三木成夫が見つけた背中のしこりに対して、周りはどう反応したのか。依然として話題にもなっていないところを見ると、全く無視されていたのだろうか。しかし生前、彼を慕う医学者が大勢いたことは有名だ。特に東大の解剖学者たちは彼の話を熱心に聴いていた。ところがその後、彼の発見について検証した人はいない。もしだれかが検証していれば、このしこりが左一側性の現象であることにも気づいたはずだ。

しかし私の発見に対して、専門外の人たちからの反応はちがった。以前「アシンメトリ現象」について書いた本(『からだの異常はなぜ左に現れるのか』)を出したら、「私もそんな気がしていた」という感想を複数の読者からいただいた。「なぜ自分のウエストは左だけくびれていないのか」「なぜ左の肩が上がったままで下がらないのか」「なぜ左の目が小さくなっているのか」。自分の目で観察して、この現象に気づいて疑問に思っている人は大勢いたのである。

ある膠原病の女性も、病院で膠原病だと診断される前から自分の左半身の形がどんどん変化していくのが気になっていたが、私の本を読んでその理由がわかったといって喜んでくれた。

「アシンメトリ現象」は目で見てわかることだから、常識の檻から出られさえすればだれでも理解できることなのだ。

第2章

ミロのヴィーナスはなぜ左右非対称なのか

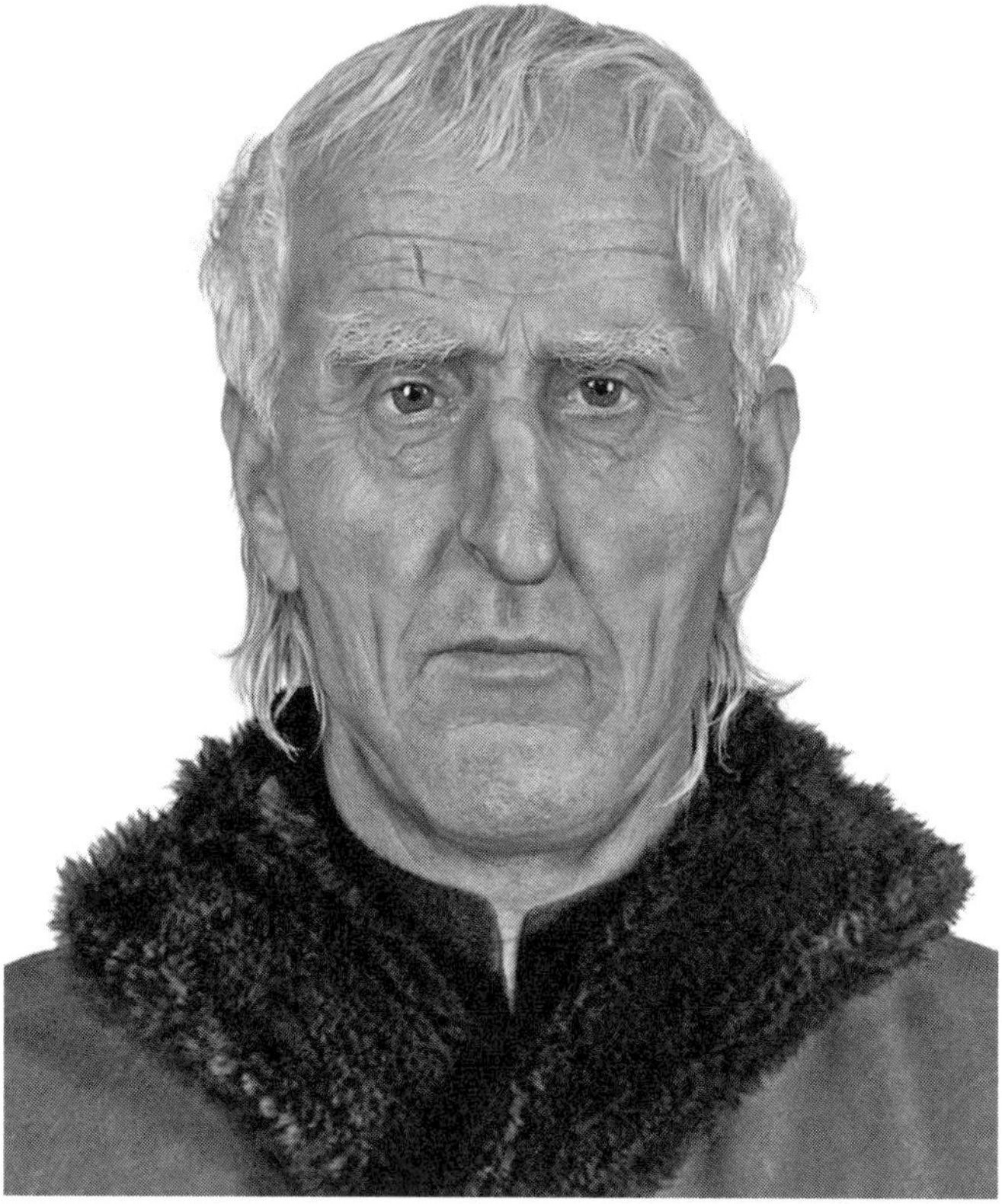

コペルニクスの頭蓋からの復元図

地動説を唱えたポーランドの天文学者コペルニクス（1473-1543 年）。ポーランド警察関係者が彼の頭蓋から復元した顔にはくっきりと「アシンメトリ現象」が刻まれている。左目が小さく、鼻が左に倒れ込んでいるのがよくわかる。この復元によって、「アシンメトリ現象」は体の表面に現れるだけでなく骨の変形まで引き起こすことが証明された。

1　アシンメトリなミロのヴィーナス

私は発見当初からずっと「アシンメトリ現象」を医学的な現象だと捉えて研究してきた。ところがあるとき、ふと医学の世界から目を上げて私の専門である美術の世界を眺めてみたのである。すると意外なほど多くの作品に「アシンメトリ現象」が表現されていることがわかった。歴史を代表するような数々の作品にも「アシンメトリ現象」の特徴があった。その代表がミロのヴィーナスだ。最近まで気づかなかったのがふしぎなほど、ヴィーナス像には「アシンメトリ現象」の特徴が散りばめられていたのである。

ヴィーナスといえば美の女神であることはだれもが知っている。絵画ではボッティチェリの『ヴィーナスの誕生』があり、彫刻ではミロのヴィーナスが有名だ。どちらも日本人にはなじみの深い作品だろう。

昭和三九年、パリのルーブル美術館から日本にミロのヴィーナスが貸し出された。当時の新聞の見出しでは、「感動に立ちすくむ」と絶賛されていた。私も若いころにルーブルで実物を目にしている。だが今では感動どころか見た記憶すらあいまいになっている。名作といえども日ごろから画集などで見慣れていると、実物を見ても「あ～これか」といった程度にしか感じないものらしい。

　ところがよくよく考えてみれば、私は美術作品を見て感動した記憶がない。子どものころに見たアメリカ映画の『フランダースの犬』では、主人公のネロ少年が教会の奥に隠されていたルーベンスの絵を前にして、神に出会ったかのごとく感動していた。そのシーンがあまりに鮮烈だったせいか、私は絵描きになればいつか名画を見て神の世界に触れるような感動を味わえるものだと思い込んでいたのだ。

　絵描きに限らず、美術は感動するもの、感動を与えるものだと思い込んでいる人は多い。しかしそんな思いに囚われているうちは作品の真意は見えてこない。私の場合も「アシンメトリ現象」に出会うまでは囚われていたのだろう。「アシンメトリ現象」によって長年の思い込みから解放されて初めて、ミロのヴィーナスがいかに優れた作品であるかが理解できるようになったのである。

　ミロのヴィーナスは一八二〇年にギリシアのミロス島で発見された大理石の彫刻だ。紀元前二世紀ごろの制作で、今ではヘレニズム彫刻の代表作だとされている。この像は右脚を支脚にして体重を支え、遊脚である左脚を前に出し、上半身を左にひねっている。

　彫刻ではこのように支脚と遊脚、上半身と下半身とで相反する動作を均衡させた表現のことをコントラポストという。コントラポストの考え方は、紀元前五世紀ごろのギリシアでポリュクレイトスによって理論的に確立され、彼の著書『カノン』にもその記述がある。

それ以前の彫刻の人体には動きが表現されることはなかった。正中線と重心線が直線として重なった、左右対称の表現が一般的だったのだ。それがヘレニズムのころになって、ミロのヴィーナス像のように動きのあるポーズになった。直線だった正中線は曲線を描くようになり、重心線も中心から片側の支脚へと移動した。その影響はローマの建築家ウィトルウィウス（紀元前一世紀）を介して、ルネサンス以降、現代まで続いている。特にヴィーナス像の姿は、彫刻だけでなくファッションやさまざまなジャンルで、美の基準としても生き続けている。

ところがその美の基準であるはずのヴィーナス像は、体が左右対称ではない。古代ギリシアでは左右対称であることが神の御姿の象徴であり美の基準であったから、神の彫像や神殿の様式はことごとく対称に造られているはずだ。それなのにヴィーナスは左右非対称になっている。

紀元前７世紀ごろの
左右対称なギリシア彫刻

もちろんコントラポストのせいで非対称になっているわけではない。しかもその体型は単に左右非対称なだけではない。そこには細部に至るまで、「アシンメトリ現象」の特徴が克明に刻まれているのである。

2　ミロのヴィーナスは左のウエストのくびれがない

ヴィーナス像の正面写真は順光だが、背中側から撮った写真には逆光のものが多い。逆光だとボディラインがシルエットになって女性らしい曲線美が際立つからだろう。ところが彼女のウエストラインに目をやると、左側のくびれがなくなっているのである。これはヴィーナスの立ち方のせいではない。「アシンメトリ現象」ではウエストの左側のくびれがなくなるのが特徴で、ウエストの部分を横から手で押してみると左側は抵抗感が強い。自分のウエストを見て、両方ならともかくなぜ左だけが太いのかと不安に感じている人もいる。しかしこの状態を医師に相談してもその不安は解消されない。医師には理由がわからないし、痛くもかゆくもないものは治しようがない。だから単なる筋肉疲労として片づけてしまう。

ところが実際には、左ウエストのくびれがなくなるのは左の脊柱起立筋が異常に緊張しているからだ。ウエストの位置で体の前後の筋肉が緊張するとウエストが太くなる。ヴィーナス像

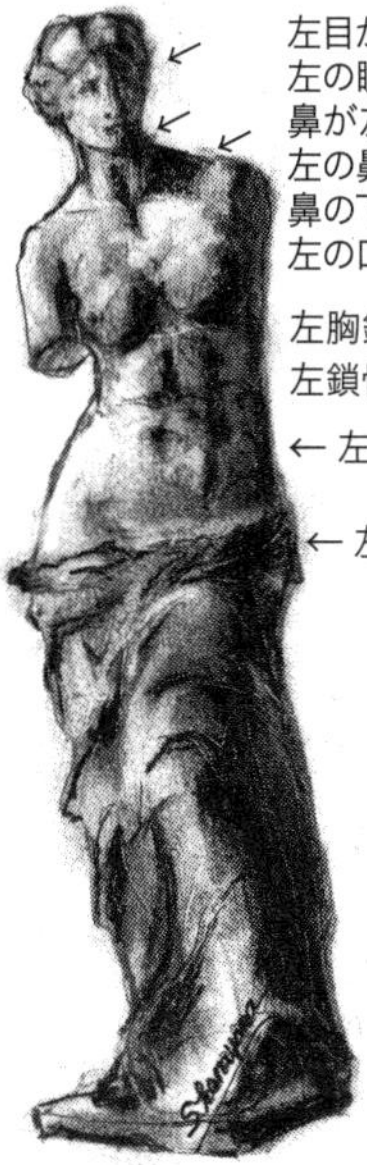

アシンメトリ現象・前面

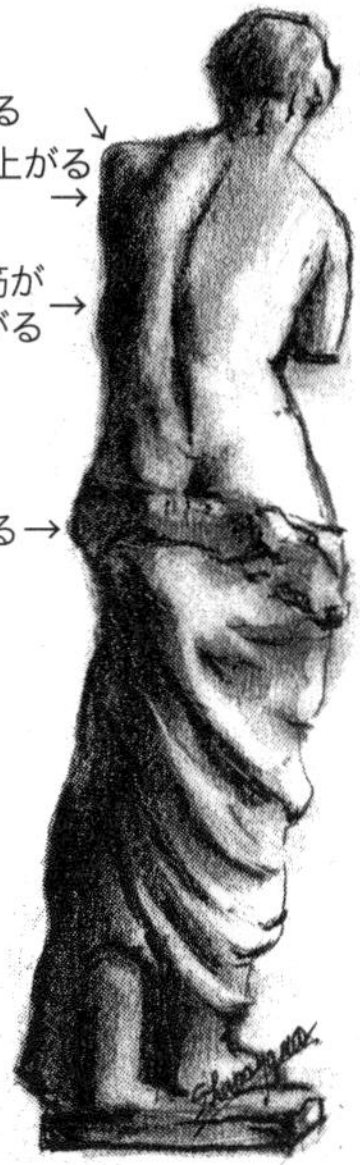

アシンメトリ現象・背面

も左の起立筋が緊張しているから左ウエストのくびれがなくなっている。しかしこの形はコントラポストとしてだけでなく、解剖学的に見ても異常な形なのである。

脊柱起立筋は上体を反対側に回旋させる筋肉だ。従って上体を左に回すときは右が、右に回すときは左が緊張する。ところがヴィーナス像は反対で、上体を左にひねっているのに左の起立筋が緊張している。だから解剖学的に見ておかしい。

しかしこれが「アシンメトリ現象」であれば典型的な形である。ヴィーナス像の作者も、実在したモデルの体に出ていた特徴を見たまま忠実に写し取っただけなのだ。よもやそれが人体の構造上は異常な形だとは思いもしなかっただろう。さらにヴィーナス像には左右が逆になっている筋肉がもう一か所ある。それは彼女の細くて長い首の前面にある左右一対の胸鎖乳突筋なのである。

3　ヴィーナスの二千年の肩こり

証明写真を撮るとき、正面を向くと肩の位置が水平にならない人は多い。片方の肩が下がる理由はさまざまで、例えば肩関節に問題があって肩が下がっているとき、問題のあるほうの肩先にある骨（肩峰《けんぼう》）を触ると、反対側より小さくなっていることがわかる。

ところが「アシンメトリ現象」では肩が下がることはない。必ず左の肩が上がってしまう。また上がっているのは肩だけではない。左の鎖骨や左の肩甲骨も、決まって頭頂方向に移動している。その原因は左側の胸鎖乳突筋が異常に緊張しているせいなのだ。

胸鎖乳突筋は頭と胴体とをつないでいるので、胸鎖乳突筋が緊張すると筋のつけ根で鎖骨を引き上げる力が働く。その緊張が続く限り左肩は上がったままになる。人によっては左の鎖骨のつけ根がポッコリと盛り上がっていることもある。ヴィーナス像も左の肩が上がっていて、左の鎖骨や肩甲骨が上がった状態までみごとに再現されているのだ。

さらに「アシンメトリ現象」では、左の肩が上がるだけでなく前に向かって巻き込む形になるのでいわゆる猫背になる。これが美術評論などで、ヴィーナス像が猫背だと指摘される理由だ。この状態で仰向けになると肩が床につかないから、焼いたスルメのように肩が浮き上がる。このタイプの人は眠っているときも筋は緊張したままなので疲れが取れないし、日ごろから肩こりで悩んでいることも多い。ヴィーナスもこの体ではさぞかし肩こりに悩まされたことだろう。しかも彼女の場合は二千年来の肩こりなのである。

またヴィーナスは左の胸鎖乳突筋が緊張しているのに顔が左を向いている。この状態も解剖学的には疑問視されて当然だ。

胸鎖乳突筋は回旋筋として頭を左右に回す役目をもつが、脊柱起立筋と同様、反対側回旋筋なのである。つまり顔が左に向いているときには右の胸鎖乳突筋が緊張しているべきなのだ。ところがヴィーナスは左の筋が緊張している。正常な体であればこの形にはならないから、この首の特徴も「アシンメトリ現象」を表現したものだ。そしてこの胸鎖乳突筋の異常が続くと、体の形はさらに変化していくのである。

4　自画像はなぜ左の顔が多いのか

うなじの中央にぼんのくぼと呼ばれるくぼみがある。だれでも大体の位置は知っているだろうが、このぼんのくぼには解剖学的な呼び名はない。解剖学では山はあっても谷は存在しないのか。西洋の絵画には東洋絵画のような余白の美の概念はないから、単に何も塗っていないと判断する。ぼんのくぼに対する認識も同じような感覚なのだろう。

そんな存在感の薄いぼんのくぼにも、実は重大な意味が隠されている。それを確かめるために、まずはぼんのくぼに両手の指先を当てて、あごを上げてみてもらいたい。すると右に傾いているのが確認できる人がいるはずだ。こうすると鏡を見なくても自分の頭が右に傾斜しているのがわかる。「アシンメトリ現象」で左の胸鎖乳突筋が緊張していると頭は右に傾くので、ぼんのくぼも右に傾くのである。

ところが人間は無意識のうちに体の緊張を解こうとして頭を逆に回す。頭だけでなく体も左にひねろうとする。その動きがヴィーナスのポーズの土台になっている。

もしこれが「アシンメトリ現象」の方向のままだったら、ひたすら上体が右に回ろうとして動作にしまりがなくなってしまう。しかし反対に上体を左に回せば、左の脊柱起立筋が緊張していて可動域が狭い分、あるところまでくると体が止まる。それでピタリとポーズが決まるのだ。陸上競技場は左回りと決まっているが、そのほうが走りやすいと感じるのも同じ理由なのかもしれない。

だが自画像の場合は、逆に「アシンメトリ現象」の型通りのポーズになっていることが多い。

一七世紀のオランダの画家レンブラントは、その生涯で数多くの自画像を遺したことで知られている。その大部分が右を向いた顔、つまり鏡に映した左の顔を描いたものだった。

ダ・ヴィンチの自画像

では歴史上の著名な自画像では左右どちらの顔が多いのだろうか。それを統計的に解析した研究者によると、レンブラントと同じように作者の左の顔を描いたものが多かったようだ。レオナルド・ダ・ヴィンチの自画像もやはり左である。レンブラントは右利きでダ・ヴィンチは左利きだったから、利き手には関係がない。すると自画像は左の顔のほうが描きやすいものなのか。もしくは描き手にとって自分の左の顔には何かそそるものでもあるのだろうか。確かに私も以前描いていた自画像は全部左の顔だった。今考えてみても特に理由は思い浮かばない。しかしどちらが描きやすいかと問われたら、断然左の顔だ。また左の顔は右よりもシャープな印象を受ける。そのせいで自画像は左の顔が多いのだろう。

5　男性だけの美意識で造られた美の女神

西洋美術に限らず一九世紀の印象派あたりまでは、美術制作は全て男性の仕事であった。特に体力を必要とする彫刻の世界では今でも男性が多い。そのため美術作品には常に男性の美意識が色濃く反映されることになる。

もちろんこれは美術だけの話ではない。以前ある女性が医学書を読んで憤慨していた。医学では子宮の外性器に近い部分を子宮頸部と呼ぶが、ほとんどの医学書ではこれを「子宮の入口」と説明しているのだ。しかし彼女のいうには子宮頸部は子宮の出口であって入口ではない。入口だと考えるのは完全に男の発想だというのである。

これはヴィーナス像でも同じだ。この像は明らかに女性の体に対する男性の願望を元にして造られている。その特徴が顕著なのが彼女の大きな乳房である。あれだけのボリュームなら乳房はもっと垂れていなければおかしい。ところがヴィーナスの乳房はブラジャーを着けているように上を向いている。作者が女性だったなら、もう少しリアリティのある形になっていたのではないか。

　ところがこの乳房は、「アシンメトリ現象」にはよくある形なのだ。乳房は本来は皮下脂肪が集まったような構造をしている。また乳房の下では大胸筋と線維性の結合を成しているので、大胸筋の緊張は乳房にも影響する。「アシンメトリ現象」によって胸筋が緊張していれば、脂肪組織であるにもかかわらず大きくても垂れない硬い乳房になるのである。

　その場合、左の乳房は表面の静脈が見えづらくなっている。出産後であれば、このような硬い乳房では乳汁が出にくいので乳腺も詰まりやすい。そればかりか乳児も左の乳房からは乳を飲みたがらないから乳腺炎にもなりやすい。

　助産婦さんたちによる乳房マッサージでも手こずるのはこのタイプで、胸筋ごと硬くなった乳房をほぐそうとして悪戦苦闘することになる。ヴィーナスがもし出産していれば、授乳時にはトラブルが起きやすかったことだろう。

6　鍛え抜かれたヴィーナスの腹筋

ヴィーナスはふくよかで胸が大きく腰回りもしっかりとしてお尻も大きい。いわゆる安産型の体型だ。ところが女性らしい体つきなのに、なぜか腹筋が発達している。ある美術評論家はこのヴィーナスの腹筋を見て、男性のような筋肉だと評していた。だが彼は作品の印象を述べただけで、なぜ腹筋が発達しているかまでは考えなかったようだ。しかし通常なら、ふくよかさと筋肉質とは共存しないものである。ではなぜヴィーナス像には両方の特徴が見られるのだろうか。

実は「アシンメトリ現象」であれば、鍛えてもいないのに腹筋が発達しているように見えることがある。ヴィーナスの腹筋には、ボディビルダーのように半月線までくっきりと刻まれている。彼女の腹筋は緊張して常に力が入ったままだから、腹筋が発達しているように見えるのだ。

しかもこのような状態だと仰向けに寝てもお腹がへこまないので、肋骨部よりも腹部のほうが高くなることもある。つまりお腹が出ているように見える。そのぽっこりと突き出たお腹を見て、太ったと勘ちがいする人も多い。しかしこれが脂肪組織であれば、横になったらお腹の脂肪は脇に広がるから、上に突き出すことはない。ヴィーナスも腹直筋がこれだけ緊張しているのだから、仰向けになってもお腹がへこまなかったはずだ。

さらに彼女の腰を見ると左側が上体方向にある。もちろんこれは右脚に重心をかけて左脚を上げたポーズのせいでもある。しかし「アシンメトリ現象」の場合は、ポーズを変えても左腰が右よりも高い位置のままなのだ。

例えばヴィーナスを仰向けに寝かせたら、骨盤の左側が頭頂方向に上がっているのがわかる。その状態で足先を見れば左脚が短くなっているように見える。そのため脚長差だと判断されることもある。さらにこの形では骨盤内の臓器もいっしょにひねり上げられて引きつっている。その状態が続くと便秘などの腹部のトラブルも多くなるのである。

7　悪役俳優の顔はなぜアシンメトリなのか

「アシンメトリ現象」を発見して以来、私は人の顔に対する見方が変わった。表情や美醜よりも、まず左右対称かどうかに目が行ってしまう。映画やドラマを見ていても、悪役俳優は顔が左右非対称になっている人が多いのが気になる。元々そういう顔だから悪役に選ばれたのか、悪役に徹すると自ずといびつな表情になるのだろうか。

実際、ニュースで見かける本物の犯罪者は顔が左右非対称な人が目につく。逮捕時に撮影された写真を見ると、薬物乱用者は非対称な顔の比率が高いようだ。私にはこれも興味深い。

ヴィーナス像の顔が左右非対称であることもよく知られている。心理学の研究では、彼女の顔写真の真ん中に縦線を引いて左右半分ずつに分け、それぞれを反転させ、元の半分と貼り合わせて合成する。もちろん素材として扱う顔が完全に左右対称であれば、合成した顔も全く同じ顔が二つできあがる。ところがヴィーナス像の顔は左右非対称だから、左顔面だけで作った顔と右顔面だけで作った顔は全くちがうものになる。心理学では、その表情から受ける印象のちがいを調べているのだ。

しかしこの合成方法には根本的な問題がある。左右非対称の基準となる中心線の導き方に無理があるからだ。顔の中心線を引くには、まず基準点を設ける必要がある。通常は基準点を二点に設定すれば中心線は直線になる。しかしこれを三点にするとまず直線にはならない。また顔を写真に撮るときのアングルによっても全くちがう印象になる。ましてヴィーナス像は立体である。立体を写真のように平面に置き換えても、正確な左右差など導き出せるはずがない。

これが「アシンメトリ現象」となると左右差の計測はさらに難しい。実際の人間は皮膚や筋肉などの軟組織に覆われているから、ちょっとした心の動きでもすぐに表情として顔の形が変化する。そのため正確に左右差を調べようと思えば、骨のような硬組織での調査が不可欠だ。つまり「アシンメトリ現象」の調査対象には、骨がもっとも適しているのである。

8　左に曲がったコペルニクスの鼻

国立科学博物館のサイトでは古人骨の頭蓋《とうがい》の写真を計測可能な状態で公開している。その千枚を超す標本写真を延々と眺めていたら、骨の状態だけで生前の顔立ちが容易に想像できるようになった。一般的には「顔の美醜など面の皮一枚のこと」などと表現されるが、悲しいかな美醜は骨の段階ですでにほぼ決着がついているようだ。

現在の形質人類学や法医学なら、頭蓋から生前の顔をかなり正確に復元できる。

二〇〇五年にポーランドの寺院でコペルニクス（一四七三―一五四三年）のものだといわれる頭蓋が見つかった。その頭蓋のＤＮＡとコペルニクスの蔵書にあった頭髪のＤＮＡとを照合した結果、双方が一致したのである。そこでポーランドの法医学研究センターが頭蓋から彼の顔をＣＧで復元してみせた。その画像は非常に精密なだけでなくきわめて特徴的だった。そこには典型的といってよいほど明確な形で「アシンメトリ現象」の特徴が現れていたのである。

彼は左目が小さく、鼻の下の溝は左に曲がり、左のほうれい線も深くなっている。しかも頭蓋からの復元であるのに、左の肩まで右よりも上げて再現されていたのには感心した。

なかでも特に興味深いのは、彼の鼻が極端に左に倒れ込んでいる点だ。元の頭蓋には鼻の部

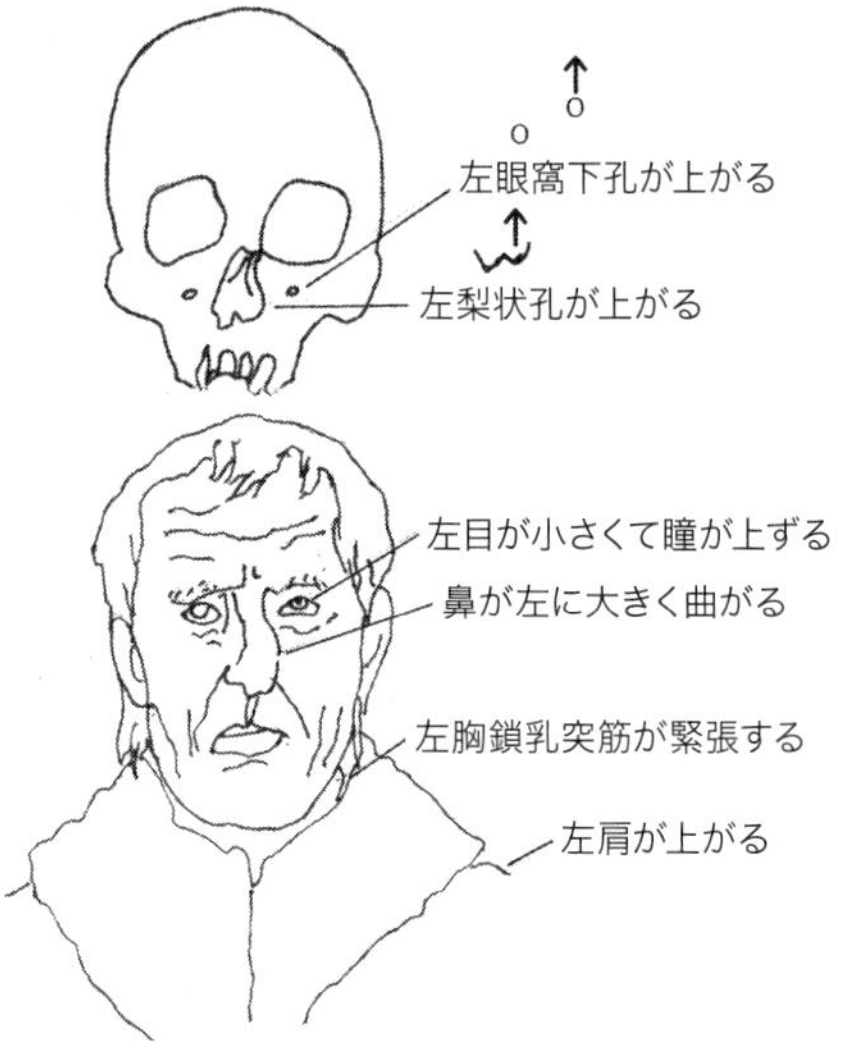

コペルニクスの頭蓋と復元図

分の梨状孔の形に左右差があった。また梨状孔の位置も左がずっと頭頂方向になっている。この左右差こそがＣＧで復元した際の鼻の形の根拠になっているのだ。

　ミロのヴィーナス像もよく見ると鼻が少しいびつになっているのがわかる。コペルニクスほどではないが、鼻の孔を覗いてみると、右に比べて左の鼻の孔は円く表現されている。

　鼻の曲がっている方向は右か左か判別しにくいことがある。外傷などによって鼻は左右どちらにでも曲がるものだが、「アシンメトリ現象」の場合なら左の鼻の孔が右よりも円くなるのが特徴だ。自分の鼻が曲がっているのを気にする人はいても、鼻の孔の左右差までは気がつかないだろう。電車のシートに座って自分の前に立っている人を見上げてみれば、思った以上に左の鼻の孔が円くなっている人が多くて驚くはずだ。

　しかも鼻の左右差は人間だけに現れるわけではない。かつて北海道の牧場でホルスタイン牛の形態的変化と乳量との関係を調べてみたら、牛にも鼻の孔に左右差があった。しかも左の鼻の孔が円くなっている牛ほど乳量が少なかったのである。そしてどうやらこの傾向は人間にも当てはまるようなのだ。

鼻の左右差といえば、アルツハイマー病の患者は左の鼻の嗅覚が衰えていることが明らかになっている。コカイン中毒だったフロイトは、左の鼻だけ麻痺していたともいわれる。「アシンメトリ現象」で鼻が左に曲がり、左の鼻の孔が円くなっているなら、左右の鼻の仕切りである鼻中隔も一緒に湾曲している。従って鼻詰まりなどの鼻中隔疾患があって当然なのだ。

左の鼻の孔が円くなっている『洗礼者ヨハネの頭部』（デューラー）。**模写**

　ミロのヴィーナスは左の鼻だけでなく、コペルニクスと同じように左目が小さく表現されている。「アシンメトリ現象」では左のまぶたが下がり、眼球が上ずって上目づかいになる。そのような特徴を美術的に表現すると右目に比べて左目が小さくなる。

　だが目が小さくなっていても骨にまでその痕跡が残ることはないはずだ。またコペルニクスの頭蓋復元では頭蓋しか見つかっていないのに、なぜ左胸鎖乳突筋の緊張まで再現できたのだろうか。胸鎖乳突筋は胸骨と鎖骨と頭蓋の乳様突起の三点をつなぐ筋肉である。そのうち頭蓋の形だけで胸鎖乳突筋の緊張を判断できたとなると、乳様突起にそれほど特徴があったのだろうか。その点も私には興味深い。

9　骨が語るミステリー

私の部屋にはヒトの全身骨格の標本が置いてある。もちろんレプリカだが、骨の複雑なフォルムに加え、光の角度によって変わる白一色のグラデーションはきわめて美しい。私はそこに創造主の存在を強く感じる。どんな天才芸術家であってもこれほど精緻な作品をゼロから生み出すことはできない。西洋絵画では死を暗示する髑髏《どくろ》をモチーフにすることがあるが、今の日本では人骨は身近ではないので牛骨などで代用している。すると本来のメランコリーな意味合いとはかけ離れた奇妙な作品ができ上がってしまうのだ。

かつて骨について思い出に残るできごとがあった。もう二〇年ほど前のことだが、私は友人と連れ立って小田原まで釣りに行った。あまりに釣れないので海岸をぶらぶらしていると、古タイヤなどのゴミといっしょに動物の骨のようなものが流れ着いていた。拾い上げてみると、途中で折れているが形から見て長骨だ。一五センチほどで大きなものではないから、クジラやイルカではない。何かほかの動物の骨だろう。握って感触を確かめたあと、近くの古タイヤの上に乗せておいた。

結局その日の釣果は芳しくなかった。小田原から東京に向かう電車に乗っていると、つり革をつかんだ手のなかに、ふとあの骨の感触がよみがえってきた。

日ごろから意識して鍛えていると、手の感触の記憶は頭のなかの記憶よりもはるかに鮮明に残るものだ。冷静になって思い出してみれば、あの握った感じはヒトの骨だった。しかも男性の左上腕骨だ。その確信が心のなかにポッと浮かんだのである。

たったひとかけとはいえ、砂浜に人骨が打ち上げられていたとなると一大事だ。電車を降りた私は、帰路の途中にある交番に立ち寄って、小田原の海岸でのいきさつを説明しておいた。するとと後日、小田原の警察署から電話があった。私の伝えた通り、浜のタイヤの上に骨があったので回収し、それが人骨であることも確認した。確かに男性の左上腕骨だったが、調査の結果、事件性はないようなのでそのまま処分すると説明された。

しかし何か腑に落ちない。なぜ事件性がないと断定できるのか。あの骨には火葬の痕がなかった。今の日本には焼かれていない人骨などないはずだから、あの骨も火葬してから散骨したものではない。しかも骨には骨端線がはっきりと残っていた。骨端線とは長骨の端にある成長する部分のことだから、あれは若い男性の骨だったのだ。また折れた痕が鋭利で磨耗もしていなかったことからみれば、海で長期間洗われていたわけでもない。つまり死後間もないことになる。岩場の夜釣りで誤って海に転落した釣り人だろうか。そう思うと他人事ではなかった。事件性がないといわれると、ちょっと待てよといいたい気分だった。

そんなことを考えていると、一緒に釣りに行った友人が「あの骨の持ち主が現れないのなら、何割かもらう権利があるはずだ」と妙な主張を始めた。骨のおもしろさに目覚めたのか、その後も海岸に行くたびに骨を探している。探すようになってみると意外に骨は落ちているものである。

日本人は骨信仰が強い割に人骨に接する機会がない。せいぜい火葬場で親族の骨を拾うぐらいだろう。形質人類学では、古人骨を計測して時代や人種、性別、年齢、病歴などを調べる。人類学者の埴原和郎《はにはらかずろう》は朝鮮戦争で死んだアメリカ兵の遺骨から、人種や年齢、性別はもちろんのこと、出身地域まで特定していた。近年は骨に残されたミトコンドリアＤＮＡを使って、現代につながる系譜までたどることができる。しかし調査の方法として手で直に触ってその感触を確かめることはない。

ところが実際には骨の感触からも多くの情報を読み取ることができる。骨は意外に水分を多く含んでいるので、死んで間もない骨にはズシリとした重さがある。また表面の滑らかさや太さなどから、男女のちがいや年齢を知ることもできる。

私の部屋にある骨格標本は、身長一八〇センチほどのドイツ人の骨から型取りして造られている。その標本だけでもさまざまなことがわかる。まず小田原で拾った骨と同じように骨端線がよく見える。頭蓋の縫合もくっきりと残っている。つまり彼はまだ二〇歳そこそこの若者だったことが骨の表面を見ただけでわかるのだ。ではそんなに若いのになぜ死んでしまったのだろうか。

彼の頭蓋にはコペルニクスと同じように「アシンメトリ現象」の特徴がよく出ている。二〇代の若さでこれだけ「アシンメトリ現象」が出ていたとなると、子どものころからあまり健康ではなかったはずだ。骨に損傷があれば骨格標本のモデルにはならないから、交通事故のような死に方はしていない。やはり何らかの疾患によって亡くなったのだろう。

そうやって骨を見ながらあれこれ考えていると、謎解きをしているようで時間が経つのが早い。ヒトの骨は私に向かって謎を突きつけてくる興味深い存在だ。しかし私は専門の研究者ではないから、なかなか直接本物の骨を見ることも触ることもできない。だがいつかたくさん骨を見たい。そう思い続けていた。

第3章

古代アンデス文明に刻まれた「アシンメトリ現象」

古代アンデス・チムーの壺（天野博物館所蔵）

ペルーの私設博物館である天野博物館には、この壺のように「アシンメトリ現象」を表現したと思われる土器がいくつも展示されていた。古代アンデスには体が左右非対称になった人が多かったのだろうか。

1　古代アンデスの左右非対称な人々

私は学生のころ上野の美術館や博物館には足繁く通ったものだった。美術作品の鑑賞はもちろんだが、古い西洋建築の存在も上野の魅力の一つだった。今は建て替えられてしまったが、以前の東京都美術館は新・古典主義スタイルの建物で、前面（ファサード）にギリシア建築を思わせる列柱を配してひときわ美しかったのだ。

美大を卒業してからは絵を見に行く機会は減ったものの、それでも暇があると上野に出かけていた。あるとき重厚な造りが印象的な国立科学博物館を眺めていたら、そこで「ナスカ展」が開催されているのを見つけた。何となく心惹かれて入館すると、パラカス・ナスカ時代の頭《とう》蓋《がい》が展示されていた。そのうちの八体に私はたいへんおもしろい事実を発見したのである。

パラカス時代とは紀元前九〇〇年～紀元前一〇〇年ごろのことで、ナスカ時代は紀元前一〇〇年～紀元七〇〇年ごろではないかとされている。これらの八体の頭蓋には、その当時の風習で板などで挟みつけて意図的に変形させられた痕があるのが特徴だった。そのうち四体には外科手術で頭蓋に孔を開けた痕も残っている。頭蓋に孔を開けるなど現代ですら危険な手術である。そうまでして手術した目的が気になるが、専門家にもまだわかっていないようだ。

ここで頭蓋について少し説明しておこう。頭蓋は元々一つの骨で成り立っているものではない。何枚かの骨がパッチワークのように継ぎ合わされることで頭蓋を形成しているのである。その継ぎ目のジグザグの部分を縫合《ほうごう》と呼ぶ。また頭蓋のパッチワークの形には個人差が大きく、縫合の形も位置もさまざまだ。

そのパッチワークを構成する骨の一つにインカ骨と呼ばれる骨がある。後頭部にある三角形をした骨で、古代ペルーの遺跡から発掘された頭蓋のうち二割程度に存在することが知られている。そのインカ骨がこの八つの頭蓋の全てに確認できた。

さてこの外科手術を施された四体のうちの一体は、頭蓋が大きく切除されているのに、そこには骨の再生が見られた。つまり術後もかなり長期間生存していたことになる。またその一体だけはインカ骨の部分が盛り上がって縫合が消えていた。これはかなりの老齢まで生きていた証なのである。

通常は三〇歳を過ぎると縫合が骨化し始めて骨の成長は停止する。美容の広告では、顔を小さくしたい女性に向かって「あなたの顔が大きいのは年をとって頭蓋の縫合がゆるんだからだ」と説明していることがある。しかし加齢で縫合がゆるむことなどあり得ない。逆に高齢者の頭蓋はしっかりと縫合が癒合して、パッチワーク状の線も消えているものだ。仮に縫合が広がるとしたら、それはよほど頭蓋の内圧が高くなったときだけである。もしそうであっても外からの力で内圧を弱めることなどできない。要するにどうやったって人の手で小顔になどできないのだ。

「ナスカ展」の解説資料には奇妙な縫合の写真も載っていた。そのパラカス時代の頭蓋は、頭頂部にある矢状縫合《しじょうほうごう》が中心から左側に大きくズレているのだ。そのため頭蓋の右側が左に比べて大きくなっている。このような左右差のある頭蓋の変形のことを一般的には斜頭と呼ぶ。本来は冠状縫合（額の部分の継ぎ目）が左右どちらかが癒合した場合にのみ、その反対側に斜頭が見られるものだが、この頭蓋の冠状縫合は癒合していない。ひょっとしてこれらの頭蓋に見られる左右差は、「アシンメトリ現象」の特徴を示すものではないだろうか。

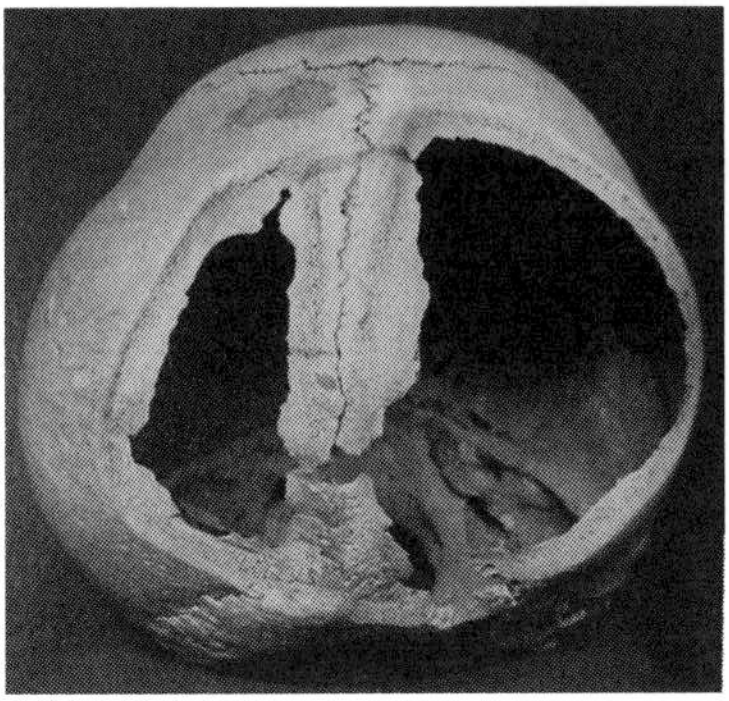
矢状縫合が左にズレたパラカスの頭蓋

さらに展示してある頭蓋をよく観察してみると、コペルニクスの頭蓋と同様、左の梨状孔が上体方向のものもあった。つまりこれらの頭蓋の持ち主は、生前はみな鼻が左に曲がっていたことになる。それを証明するように、当時の人体を模した象形土器には鼻が左に曲がった像が多く見られた。逆に右に曲がったものは一つもなかったのでこれは

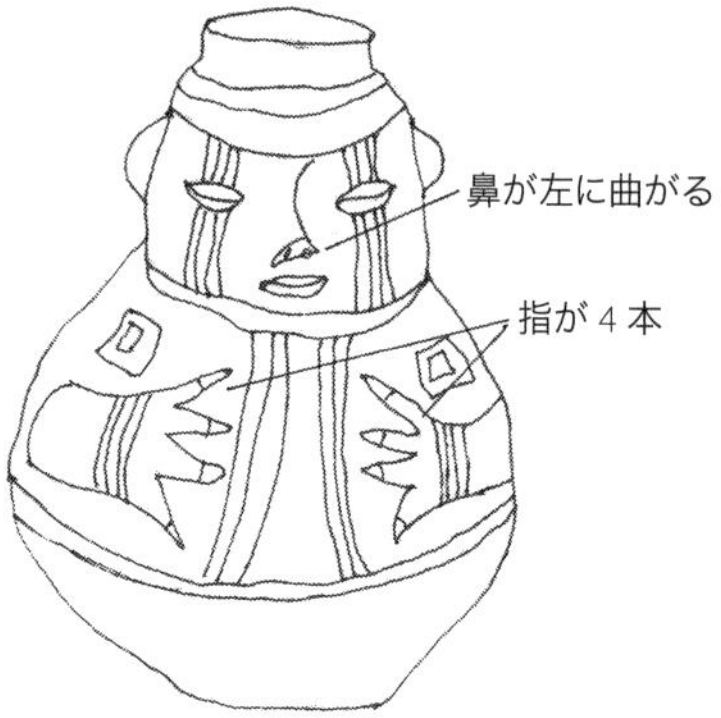

パラカスの壺

偶然ではない。

　パラカスとナスカとの時代区分ははっきりとはしていない。だが現存する両時代の土器の模様には連続性が見られることから、一連の文化を持つものと研究者の間では考えられてきた。

　しかし私の目には、パラカスからナスカ前期までの土器と、それ以降の土器とははっきりちがって見える。そのちがいは、土器に表現された人体の鼻の部分だけを立体的に表現したパラカスと、全体を平面のままで図形化したナスカとに分けられる。私はこの表現方法のちがいから判断して、パラカスとナスカとでは縄文と弥生のようにはっきりと文化が分かれている印象をもった。

　さらにここで注目すべきは、象形土器の人体の鼻がことごとく左に曲がっている点である。これは技術的に稚拙だから曲がったのではない。曲がった鼻を表現しようとした作者の意図が感じられる。これが意図した結果であることは、みな規則的に鼻が左に折り曲げられている点を見れば明らかなのだ。

　こうした頭蓋の特徴や土器に付けられた鼻からは、ナスカ、特にパラカス時代の人々は鼻が左に曲がっているのが一般的だったと考えられる。ひょっとすると古代アンデスでは、現代とは比較にならないほど「アシンメトリ現象」の顔が多かったのかもしれない。その原因は何だろう。風土病的なものか、地域的な食性の問題か、はたまた遺伝子の問題なのか。そんな疑問に取り憑かれた私は、何としてもペルーに渡って現地で古人骨を調べてみたいと考えるようになった。

2　ペルーの天野博物館の奇妙な土器

古人骨を調べに行くといっても私は専門の研究者ではない。当時は大学の教員でもなかったから単なる一般人である。古人骨を収蔵している人類学博物館では、たいてい一般の人間に収蔵庫のなかの資料まで見せてくれることはない。そのうえペルーは遠いのだ。地球の反対側であるだけでなく、交渉しようにも英語圏ですらないから心理的にも遠かった。そういう事情もあって、調査にとりかかるまでにもなかなか難航した。

しかしペルー滞在歴の長い関野吉晴先生の口利きで、何とかペルーの首都リマにある天野博物館を紹介していただけた。同館の協力がなければとても調査になどならなかったから、これは望外の幸運だった。

ペルーに行くと伝えると周りからいろいろなアドバイスを受けた。なかでも犯罪被害の話が多かったのは、当時はまだペルーの日本大使館襲撃事件の記憶が新しかったせいもあるだろう。とかく日本人は海外に行くとなると犯罪を恐れて地味な格好をしたがる。それでも服や靴はおろしたてだ。だから犯罪者の目からは日本人は地味でも金持ちそうに見える。ヨーロッパの街中なら一〇〇メートル先からでも日本人だとわかる。

逆に私は海外では飛び切り目立つ格好を選ぶようにしている。日本人にも金持ちにも見えないからか、おかげで一度も被害に遭ったことはない。周囲から注目されたほうが犯罪予防になるのだ。だがあまり目立つと必ず税関で目をつけられるのは致し方ない。

さて今回は久々の海外である。いざリマの空港に降り立つと予想外の暑さに面食らった。派手さはともかくも、夏の終わりのペルーに真冬の格好で来てしまったのだ。ネットで調べた天気情報は全くの誤報だった。一週間分の荷物はバックパック一つに詰め込んである。その重みとともに背中にじっとりと汗がしみる。それでも寒いよりはましだ。そう思い直して天野博物館へと向かった。

現在の天野博物館は織物博物館になっているそうだが、私が訪問した二〇〇八年当時は天野芳太郎（一八九八―一九八二年）氏が個人で収集したペルーの文化遺産を展示していた。天野氏の輪郭は彼の著書『わが囚われの記　第二次大戦と中南米移民』（中公文庫）に詳しいが、そこには今はもう過去のものとなった気骨のある日本人の姿がある。哲学者の鶴見俊輔も彼のことを傑出した人物だと評していたほどで、ペルーでは彼の記念切手まで発行されている。

　その天野氏がいかに思い入れを持って遺物を収集していたかが、博物館の展示物からも伝わってくる。彼の甥である阪根博氏が天野氏は大変な目利きだったという通り、確かに他の博物館では見られない特殊な物が多かった。

モチーカのジャガーの壺

　そのなかに口を大きく開けて牙をむいたジャガーを模した土器があった。通常なら上下四本ずつであるはずの切歯が、このジャガーは上が一本多くなっているのだ。このように標準より切歯の数が多くなった状態を正中過剰歯という。ミケランジェロの代表作『ピエタ』のイエス・キリスト像もなぜか正中過剰歯になっている。それならこのジャガーの表現にも、何か意味があるのだろうか。

　古代アンデスでは、通常とはちがう個体を神に近い存在だと考えていたらしい。なるほど「ナスカ展」で見た鼻の曲がった人物も、手は両方とも四本指になっていた。ナスカの地上絵の「木の手」や「サル」も、天野博物館にあったパラカスの布に織られた人物も四本指だったから、これらが意図的に特異性を表現したものであることはまちがいないだろう。

天野氏もあえて特殊なものだけを収集したのかもしれないが、特に象形土器には各時代を通して鼻が左に大きく曲がったものがいくつもあった。なかには極端なデフォルメを施して、鼻を右に曲げたような土器もあった。しかしこれはちがうのかと思って手に取って確認すると、ミロのヴィーナスのように鼻の孔が左だけ円くしてあるので納得した。これは「アシンメトリ現象」特有の形だから、やはり当時の人はこの特徴を正確に把握したうえで意識的に再現していた可能性が高い。

3　性病性梅毒と頭蓋変形

天野博物館の倉庫に入ると、そこには整然と頭蓋が並んでいた。もちろんペルーの地で天野芳太郎氏によって収集された貴重な古人骨である。日本では酸性土壌が多いため、湖や沼地のようなところ以外では古い骨は残りにくい。従って比較的新しい江戸時代でも、お堀端から出土した骨はみな沼の底のような濁った色をしている。それに比べてペルーでは砂漠から掘り出されることが多いので、骨はみな白くて美しい。それが印象的だった。

それらの頭蓋は象形土器と同様に特殊なものが多い。しかしそのほとんどがチャンカイ時代（一〇〇〇—一四〇〇年ごろ）のものだ。そのチャンカイの頭蓋を観察してみると、子どもから大人に至るまで性病性梅毒による病変が残ったものが多かった。当地ではその時代に性病性梅毒が猛威を振るっていたことがわかる。

梅毒とは病原体のトレポネーマによる感染症で、正確にはトレポネーマ症と呼ぶ。現在このトレポネーマ症はいわゆる性病性の梅毒と、非性病性（風土性）のフランベジア、ベジェル、ピンタの四つに分けられる。

梅毒はコロンブスが新大陸から持ち帰ってヨーロッパ中に広げたといわれているが、トレポネーマ症の起源はもっと古い。一〇万年ほど前に中央アフリカに出現し、その後の人類の移動とともに世界中に広がったと考えられている。その移動の過程で人類の進化に合わせてトレポネーマも進化して現在のような四つの型に分かれたようだ。

性病性梅毒にかかると、頭蓋に独特の破壊性の変化が見られる。そのため古病理学では、骨に残された梅毒の痕跡を基にして人類の移動経路を探る研究がある。日本では室町時代の頭蓋に性病性梅毒による骨破壊が見られるものが発見されている。チャンカイの頭蓋にはわずかに左一側性の変形が見られたが、「ナスカ展」で見た古人骨の頭蓋ほど顕著ではない。従って性病性梅毒が「アシンメトリ現象」の原因だといえるほど決定的な証拠にはならなかった。

今回のペルーでの調査では、この性病性梅毒が「アシンメトリ現象」の頭蓋変形にかかわっているのかどうかを確認するのも目的の一つだった。だが実際に数多く性病性梅毒の頭蓋に当たってみると、左一側性の変形は梅毒の痕跡の有無にかかわらず存在していることがわかった。つまり梅毒と「アシンメトリ現象」には因果関係がなかったのだ。

もちろん梅毒以外でも、結核による脊椎カリエスなどの感染症が骨の変形を引き起こすことはある。果たして何らかの感染症が、左一側性の頭蓋変形の原因となり得るものだろうか。今回の調査で少なくとも梅毒が原因にはならないことは確認できた。それなら肝心のパラカスとナスカ時代の頭蓋はどうだろう。

4　「また来年いらっしゃい」

ペルーの首都リマから高速バスで四～五時間のところにあるイカは、砂漠のオアシスとも呼ばれる人口二〇万人ほどの街だ。このイカにある国立イカ人類学博物館にパラカス時代の頭蓋が数多く所蔵されていると聞いていた。だからこの博物館を訪れることが今回のペルー渡航の大きな目的の一つだったのだ。

私の目的とする調査のためには、公開されている展示物だけでなく収蔵庫のなかの非公開のものまで見せてもらう必要がある。そのために前もって許可申請の書類もリマで準備して持参していた。ところが館長にその書類を提出すると、彼女はかなり渋い表情になった。そして「これではダメだ」といったのだ。

私はスペイン語が全くわからない。館長も私も片言の英語しか話せないので、なぜダメなのかがわからない。それでも日本からここまでの道のりを考えると、そうかんたんにあきらめるわけにはいかないのだ。それこそ必死になって交渉を繰り返したが、館長からの返事は「来年いらっしゃい」の一点張りだった。

そうして押し問答を繰り返すうちに昼になってしまった。館長は昼食のために席を外した。途方に暮れて肩を落とす私を見て、周りで私たちのやり取りを聞いていた博物館スタッフたちがいっしょに食事をしましょうと誘ってくれた。そこで交渉の続きは昼食後にすることにして、博物館の外庭で彼らと一緒に食事をすることにした。

スタッフたちもほとんど英語はわからない。それでも私が何を研究している人間かは大まかには理解してくれた。そして「アシンメトリ現象」の話に興味を持ち、それぞれが自分の体はどうかとたずねてくる。せっかくなので、そのスタッフのなかでもっとも顔面の「アシンメトリ現象」が激しい人をモデルにして、持参した「アシンメトリ現象」のイラストと見比べてもらいながら、左目が小さくて鼻が左に曲がっていて、口角が左上がりになっている状態を説明した。続いて顔だけでなく体に現れる「アシンメトリ現象」の特徴も見てもらった。すると今度は、「この人はどうだ?」「こっちの人はどうだ?」と順番に訊いてくる。そうやって結局、館長以外ほぼスタッフ全員の「アシンメトリ現象」をチェックすることになったのである。

そのなかでもいちばん左の起立筋が盛り上がっていて「アシンメトリ現象」の状態が強かった人は、以前に子宮がんの手術を受け、今も調子が良くない状態で再検査を受けるところだといっていた。やはりこの現象と病気との因果関係は、南半球においても一致するようだ。今回の渡航目的の一つが、南半球でも「アシンメトリ現象」は左一側性なのかを確認することだった。それが意図せずして目的を果たすことができたのである。

そんなわけで、博物館のスタッフたちは「アシンメトリ現象」の概念や研究の意義をかなり理解してくれたので、館長にももっと交渉するようにと応援してくれた。そこで昼食から戻った館長に再度交渉を続けたところ、私が過去に書いたレポートを提出すればいいといってもらえたのである。これは大きな前進だ。しかし残念ながらレポートなど用意していない。そして館長からこの譲歩案が出た時点で、すでに閉館の時刻になっていた。仕方がないので、館長には「明日また来る」と告げて私は館を後にした。

5　国立イカ人類学博物館に突入

以前インドに住んでいたころは何かと交渉するのが日常だった。それが大事なコミュニケーションでもあったので、何でも言うだけは言ってみるのが癖になっていた。たまたま入った博物館で気になる展示物を見つけたときも、それを売ってくれないかと頼んでみたことがある。もちろん答えは「ノー」だったが、今回はそこまでの無理をいっているつもりはない。

今日の交渉でわずかに希望は見えたものの、この後どうしたものか。とりあえずホテルに戻り、東京で待機してくれている友人に電話した。途中でも交渉が難航していることは伝えてあったが、そのとき館長が「何かレポートを提出しろ」といっているようだと話してあった。そこから考えられることを二人で話し合ってみた。

一般には公開していない収蔵品を外国人に見せるからには、それ相応の根拠となる調査目的に触れた文書が必要なのだろう。それなら「ナスカ展」でパラカスの頭蓋に著しい「アシンメトリ現象」があるのを発見した話を書いたメールマガジンがある。それをレポート形式に編集し直して提出してみてはどうか。もちろん本来はスペイン語でないとダメだろうが、とりあえず現地との時差を利用して、明朝までに大まかに英訳したものだけでも作ってみるといってくれた。

　そこでこちらでも並行して、リマの天野博物館にいる日本人スタッフの方に無理なお願いをしてみた。私のメールマガジンの要約をスペイン語に翻訳してもらえないかと頼んだのだ。いきなり一晩でそんなことを頼むのは心苦しかったが、できる限りのことをしたかった。それでダメならまたそのとき考えよう。

　さあそこから東京の友人もたいへんだ。翻訳するといっても機械翻訳頼みである。「矢状縫合」や「梨状孔」などといった用語は、英語でいいのかラテン語にしたほうがいいのかにも迷って、かなり手間取ったらしい。いざでき上がったものを送信したら、今度はホテルのファクスがつながらない。メールで送っても、なぜかそのメールがいつまで待っても届かないのだ。

　あれこれ予想外の展開に苦戦したが、それでも日本とペルーとの一四時間の時差のおかげで、翌朝にはレポートらしいものが手元に届いた。読んでみると「なるほどこれなら」と思える文章になっている。そこで私は意気揚々とレポートをもって博物館へと向かった。

　ところが昨日の交渉相手であり、唯一決定権のある館長が今日は外出している。昼には戻ってくるはずだと聞いたが、私に残された時間は今日一日しかないのだ。昨日も親身になってくれていたスタッフが盛んに「昨日の日本人がレポートを持ってきた」と館長にメールを送ってくれる。それでも館長からは一切返事がない。

そうこうするうちに昼になった。それでも館長は帰って来ない。心配したスタッフが私を昼食に誘ってくれても、昨日からわずかなパンしかかじっていないのにさすがに食欲はわかなかった。

私がここまで焦るのには理由があった。専門の研究者からは「好きな研究ができていいですね」といわれることもあるが、こちらは全くの在野の人間だ。国や大学から研究費をもらって研究しているわけではない。日本からここまで来るのだって完全に自費である。仕事も休んでいるが、しがない自営業者の私には有給休暇などないし、保障もない。「アシンメトリ現象」の解明のためとはいえ、私にとってこのペルー渡航はそうそう何度も実行できるほど楽なことではなかったのだ。

そうやってジリジリとしながら「もうダメなのか」と思い始めた午後二時過ぎ、やっとわが館長が戻ってきた。私は勇んで「これでどうだ！」とばかりにレポートを差し出した。だが館長は相変わらず眉間にしわを寄せ、険しい表情で読んでいる。英語版はほとんどわからないようだが、形だけは整えてあるし、スペイン語の書類も併せて提出した熱意だけは伝わったようだ。ようやく収蔵庫のなかを見る許可が出た。私だけでなく周りのスタッフもホッとしていた。このスタッフの方々の応援がどれほどありがたかったか知れない。

ところがいざ収蔵庫のなかを見て驚いた。日本の科学博物館の研究員からはイカの博物館のほうがリマよりも収蔵量が多いと聞いていたのに、予想していたよりもはるかに頭蓋の数が少ない。全部で二〇〇体ほどしかないのだ。時代区分だけは整っていたが保存状態も悪い。ホコリにまみれたまま何年もだれも調査した形跡がなかった。しかしとにかくもう時間がない。大急ぎでパラカス時代のものを中心として、ナスカ・イカ・インカの各時代の頭蓋変形を調べていった。

しかしこれでは統計的なデータにするには数が少なすぎる。従って「アシンメトリ現象」については「その傾向がある」としかいえない。だがパラカス時代の頭蓋の変異は他の時代よりも際立っていることは確認できた。結局、期待したほどの数がなかったので、矢状縫合の極端なかたよりをしっかりと確かめられなかったのは残念だ。それでもここにあるものを全て見ておかなければ先に進めない気がしていたので、全容を把握できただけで満足だった。

これで明日はまた一日かけてイカからリマに向かって移動だ。そしてあとはペルー国立考古学人類学歴史博物館での調査を残すのみとなった。そうして迎えたペルー滞在の最終日、私はまたしても思いもよらないハプニングに遭遇することになったのである。

6　形態学者イルダ・ヴィダル博士と小片コレクション

いよいよペルー滞在の最終日、その日の深夜には飛行機で日本に帰る予定だった。リマにあるペルー国立考古学人類学歴史博物館（Museo Nacional de Arqueologia Antropologia e Historia del Peru）では、収蔵庫のなかは見せてもらえないと聞いていた。だから一般公開の展示だけでも見て帰ろうと思っていたのである。

ところがいざ館内に入ってみると骨の展示がない。これはどうしたことだろう。博物館の看板には「人類学」の文字が入っているのに人骨の展示が一切ないのだ。これでは看板に偽りありではないか。

確かに一般的には人骨を見たいなどと思う人は少なく、骨に興味があったとしてもせいぜい恐竜の骨ぐらいなのだろう。それにしてもあちらでもこちらでもなかなか思ったようには調査が進まないものだ。準備不足といえばそれまでだが、日ごろかなり楽天的なタイプの私もさすがに気落ちして一挙に疲れを感じた。

仕方ない。食事でもして気分を変えよう。そう考えて博物館の奥の食堂に入った。あちこちのテーブルでは団体の観光客がにぎやかに食事をしている。気分的にその明るい喧騒にはなじ

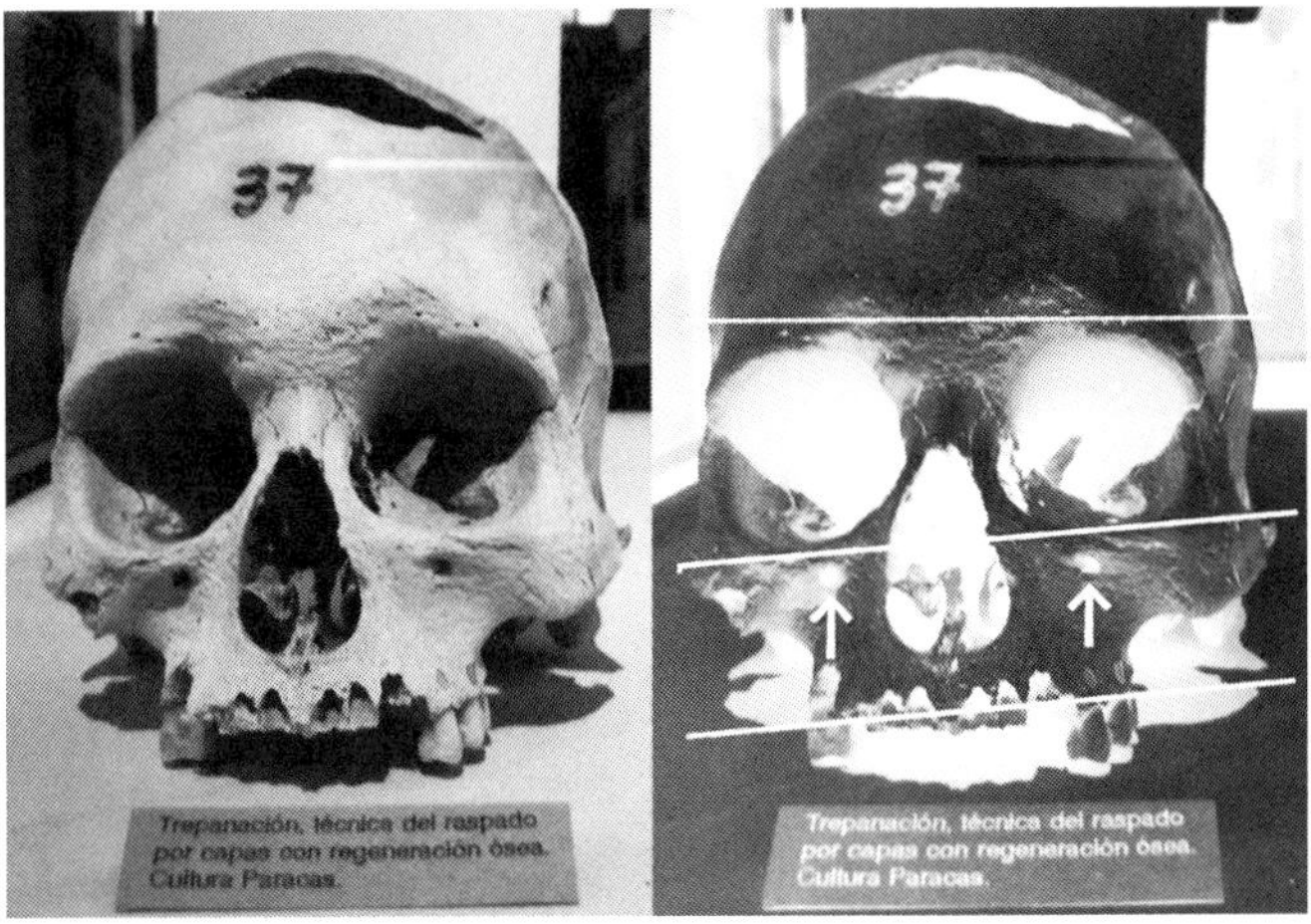

パラカスの頭蓋

「The Instituto Nacional de Cultura 所蔵の頭蓋について」

i　眼窩下孔の左側上位の優位性に関しては、パラカス・ナスカ・イカ時代のものにはかなりはっきりとした「アシンメトリ現象」が確認できたが、時代が新しいインカ時代のものにはあまり見られない。

ii　梨状孔横のへこみについては、程度の差はあるものの、全ての時代に「アシンメトリ現象」の傾向が見られた。

iii　上顎水平面の左上がりの傾きについては、どの時代にもかなりはっきりとした「アシンメトリ現象」が見られた。

iv　歯槽骨の舌側への倒れこみは、天野博物館で見たチャンカイ時代のものと同じく、歯槽骨自体が薄くて、倒れこみを確認するには高さが足りないため、はっきりとは確認できなかった。しかし歯槽骨の舌側への倒れ込みが左一側性であることは確認できた。

v　矢状縫合の左側へのかたよりに関しては、日本の科学博物館での展示で見たような極端なものは見られなかった。

めないので、ずっと奥まで進み、すみのほうに空いた席を見つけて一人で食事をしていた。するとそばにいた地元の中年女性がしきりに話しかけてくるのである。

どこでも中年女性は気さくでありがたい存在だが、スペイン語だから何をいっているのかさっぱりわからない。私が少々とまどっていると、近くにいた老齢の女性が「あんた日本人じゃないか」と日本語でいったのだ。驚いて「あなたも日本の方ですか?」と訊き返すと、「い〜や、私はペルー人だ。昔、日本の大学に留学して小片保《おがたたもつ》教授のもとで形態学を勉強していたんだ」というではないか。かなりの高齢に見えたので、失礼ながらただのおばあさんだと思っていた私は二度ビックリした。

小片教授といえばミイラ研究の第一人者であり、日本で有数の古人骨コレクションを作り上げた人である。私も著書を何冊も読み、一度そのコレクションを見に行きたいと思ってずっと伝《つて》を探していたのだ。こんな地球の裏側まで来て、小片教授を知っている人に会えるとは思ってもみなかった。しかもこの女性は、日本人でペルー研究をしている人にとっては有名な形態学者のイルダ・ヴィダル博士だったのである。

私がひたすら驚いていると、「あんたかい、日本から骨を調べに来たのは。私は聞いているよ。でも、なんで事前に手続きをしなかったのか。私はその準備をしていたのに」とおっしゃるのだ。どのようないきさつで私のことが伝わっていたのかはわからないが、この時点ではもう手続きをする時間がない。私が残念がっているのと、どんな研究をしているのかと訊かれた。そこでこれまで研究してきた「アシンメトリ現象」の概要を説明したのである。

ヴィダル博士は形態学者だから一般の人よりも理解が早かった。そして今までそんな視点で骨を見たことがなかったといってとても驚いておられた。その言葉に勢いを得た私は、イカの博物館に提出した例のレポートのコピーを見せた。すると「これはたいへん興味深い研究だ。今までだれもこのような研究をしていない。このレポートはこの博物館に所蔵して、研究者たちに見せることにする」といってくださったのである。

このレポートを英訳してくれた友人からは、この英文はかなりつたないので、英語がわかる人に見せてはいけないといわれていた。だが「アシンメトリ現象」の概念が初めて専門の研究者に認められたのだから、うれしくないはずがない。まして「アシンメトリ現象」のレポートが国立の博物館に所蔵されるとなると、専門の研究者でもない私にとってはかなり名誉なことだ。博士のこの一言だけで今までの疲れが吹き飛ぶ思いだった。

そうして私が喜んでいるのを見て、やっぱりせっかく来たのに骨が見られないのはかわいそうだと思われたのだろうか。博士は館内の図書室に私を連れていき、頭蓋変形の研究資料が載っている本をいくつか選んで、必要なら写真を撮ってもいいとまでいってくださった。発行は古いが、頭蓋変形の写真がふんだんに載っている貴重な本だ。なかには矢状縫合が大きく左にかたよっていて、明らかに「アシンメトリ現象」が確認できるパラカス時代の頭蓋の写真もたくさん載っていた。おかげでペルーでの調査の心残りは一掃された。

もし特別な許可をもらって実物の頭蓋を見せてもらえたとしても、かなり慎重に扱う必要があるので、統計的な資料にできるほどきちんと写真を撮ろうと思えば膨大な時間がかかる。たった一日に一〇〇も二〇〇も撮影できるものではない。それがすでに撮影されたものを写すだけだから、一挙に全部をカメラに収めることができた。

その後も博士にいろいろと形態学的な質問をさせていただけたので、いくつかの疑問も解けた。時間があればもっとお話をうかがいたいところだが、「機会があればまた今度」といってたくさんお礼をいって辞した。結果的に私は運が良かったといえるだろう。

こうしてハプニング続きながらもペルーの古人骨調査の旅は終わった。ヴィダル博士のおかげで、天野博物館やイカの博物館では調べきれなかったパラカスの頭蓋について一つの結論を導き出すことができた。そしてこのとき博士は、「私が小片教授のもとに送った骨が日本にあるから、それを見に行きなさい」といって正式な紹介状まで書いてくださったのである。

7　消えたパラカスの人々

現在解読されている遺伝子情報によると、五万年前にアフリカを起源とする人類の拡散が始まり、その後、二万年前にアジアからベーリング陸橋を渡ったと考えられている。そしてわれわれ日本人の祖先とかなり近い人種だとされるモンゴロイドが南米の地ナスカまでたどりついた。そのため「ナスカ展」に展示されていたナスカ時代の二体のミイラにもモンゴロイドである縄文人の特徴が見られると説明されていた。

しかしナスカ時代直前のパラカス時代の頭蓋にはナスカとは明らかに異なる特徴があった。パラカス人の鼻骨はモンゴロイドのものにしては位置がかなり上にあって鼻も高くなっている。また鼻の位置にある梨状孔も下縁が鋭くなっている。これらは白人種に多く見られる特徴だ。つまりパラカスの頭蓋を復元したら、外見はかなり白人種に近い立体的な顔立ちになるはずなのだ。ところが全ての頭蓋にインカ骨が見られるので、白人種ではなくモンゴロイドであることに変わりはない。

これらを考え合わせると、パラカス時代の人々は今のわれわれがイメージするモンゴロイドとはちがう特殊な人種だったのだ。もちろんベーリング陸橋を渡ってナスカまで移動していく間に独自の進化を遂げた可能性はある。だがペルーで見たパラカスの頭蓋には、縄文人と弥生人とのちがいよりももっと大きな隔たりを感じた。

もちろんこれは美術家の目で見た印象による判断である。しかしパラカスのミイラや骨から取得した遺伝子情報を解析したら、パラカス人のDNAは現代のナスカ地域の先住民には見られなかったという。この事実は、パラカス人が人種として特殊な存在であり、その後のナスカ時代の人々とは別人種ではないかと考える私の予想を裏づけるものである。

またパラカスとナスカでは文化においても連続性に欠けている。それが土器の表面に描かれた模様の様式のちがいにも現れているのだ。現代の私たちから見れば異形とすらいえるほど、パラカス人はいびつな左右非対称の顔を持っていた。その姿が象形土器にも描かれているのである。顔の左側が押しつぶされたような状態で、左目は小さく、白人のように高い鼻は極端に左に曲がっていた。そしてこの顔こそ「アシンメトリ現象」がきわまった状態なのである。

それほど異常が出ていたとなると、パラカスでは何らかの重大疾患を抱えた人が多数を占めていた可能性もある。またその治療のために頭蓋穿孔《とうがいせんこう》などの危険な外科手術が行われていたのかもしれない。

しかし手術後かなり長期間生存していたと思われる人でも、その頭蓋には「アシンメトリ現象」の特徴が残っている。命がけの危険な手術をしても彼らの病気を治すことはできなかったのだろう。そして「アシンメトリ現象」が人種を覆い尽くすほど蔓延した結果、パラカスの人々はどうなったのか。

それは文献による記録どころか文字すらなかった二千年以上昔のことである。現代の私たちは発掘された遺骨や遺物などから推測するしかない。だがパラカス人がナスカの地に子孫を残すことなく、この地から消え去ってしまったことだけは事実だ。そしてパラカス人が消えた理由は、まだ謎のままなのである。


さてペルーから帰国した私は、ヴィダル博士のご指示の通り、小片コレクションを所蔵している日本の国立大学に紹介状を送った。しかし待てど暮らせど返事がない。しびれを切らして電話で問い合わせてみたが、許可が下りない。骨を寄贈した本人である博士からの紹介状まで送ったのに、なぜ見せられないのかがはっきりしないのだ。だがここでひるんでいる場合ではない。数か月間しつこく交渉を繰り返した結果、やっと見せてもらえる許可が出た。

ところが「見せる」とは文字通りで、私に許されたのはただ「見る」ことだけだった。触れることも写真を撮ることも認められなかった。しかも一方的に指定された日時のなかのごく短時間だけ、指定日に来られないなら今後も一切許可できないという指示だったのだ。

それでも見せてもらえるだけでよい。東京からはギリギリ何とか日帰りできる距離だから、ペルーに比べれば近いものだ。仕事を休んで出かけていくと、そこには二〇〇ほどの頭蓋がコンテナのなかに収められていた。

さすがにヴィダル博士が厳選して送っただけのことはある。かなり貴重なものが含まれている。だが肝心の時代区分が全くできていない。イカの博物館と同じく、これだけの資料をただしまい込んでいるだけで、ほとんど研究もされていないようだった。もちろんこの資料専門の研究者もいない。窓口になってくれた担当教授も、これだけの貴重な資料に対して「小片教授がこんなものを残したせいで管理する側は迷惑している」と口にしたのが印象的だった。ヴィダル博士にはそんな話を伝えるわけにはいかないから、おかげさまで骨が見られて大変参考になったとだけ書いたお礼の手紙を送った。

結局のところ、私が調べることができた古人骨の数は、天野博物館の約一〇〇体とペルー国立イカ人類学博物館の二〇〇体、そしてヴィダル博士がペルーから日本の小片保教授の元に寄贈した二〇〇体ほどになる。これらの資料からは「アシンメトリ現象」が紀元前からアンデスの地に存在していたこと、しかも決して珍しい現象ではなかったことが確認できた。それでは日本でもどこかに「アシンメトリ現象」の痕跡は見つかるだろうか。

アンデスとちがって日本は酸性土壌の地域が多い。だから古い骨は残りにくい。資料となる骨も時代的に新しいものが多くなる。それでも国立科学博物館のサイトに掲載されている古人骨の写真をつぶさに見ていくと、いくつかの頭蓋に「アシンメトリ現象」が確認できた。アンデスほど極端な左右差があるものはあまりなかったが、縄文時代よりも江戸時代の頭蓋のほうが左右差のあるものが多いようだ。

8　日本の象形土器はなぜ左右対称なのか

では日本の象形土器ではどうだろう。土器に表現された人体にも「アシンメトリ現象」が確認できるだろうか。

縄文時代の日本には、世界的に類を見ない土器や土偶が多かった。特に遮光器土偶は大胆で特殊な表現だ。しかしいかに特殊な姿であっても、ほとんどが左右対称な形になっている。天野博物館で見たような意図的に非対称にしたものは見当たらない。このちがいを人類史ではなく美術史として考えてみよう。

美術史では、教科書の最初のページはアルタミラやラスコーの洞窟壁画から始まっている。人類は五万年前にアフリカを出て、三万年前にこれらの壁画を描いたのだ。このような旧石器時代後期の美術をオーリニャック文化という。その洞窟壁画を描いた人たちのうち、そのままヨーロッパ界隈に定住した人類が、エジプトやギリシア、メソポタミアなどで現代につながる文明を築き上げた。そしてこれらの古代文明が発展するにつれて、左右対称な表現方法が徐々に確立していったのである。

一方、東方に移動した人の一部は日本列島にやってきた。日本よりさらに東へ進んだ一団は、二万年前にベーリング陸橋を渡って南下し、アンデスの地に到達した。

日本には大陸の文化が常に流入するのと同時に左右対称の表現も入り込んだ。しかしアンデスでは一万数千年の間、旧大陸と一切交流がなかったため、オーリニャック文化がそのままの形で残っている。これは戦前に海外に移住した人たちのなかに、古き良き時代の日本語が残っているようなもので、いわば文化のガラパゴス化である。このような経緯によって、古代アンデス文明には、対称性にとらわれないプリミティブな表現が残された。ナスカの地上絵に左右対称な描写が見られないのもそのためなのだろう。

しかし両者に共通する風習もある。それは縄のない方だ。日本では縄をなうとき、日常使いが目的なら右巻きで、しめ縄のように神事に用いる際は左巻きと決まっている。この風習はアンデスでも同じなのである。地球の裏と表で、「アシンメトリ現象」だけでなく縄をなう方向まで一致しているのだ。するとこの風習には二万年の歴史があるのかもしれない。

以前、縄文土器の縄目模様が左右どちら巻きなのかを調べてみたら、そこには左右の決まりがなかった。しかし使用目的によって縄目の有無にちがいがあることがわかった。

縄目をつけるのは魔除けのためであり、土器の場合の魔とは腐敗のことである。腐敗菌は食中毒の原因となるから当時の人々にとってはきわめて恐ろしいものだった。そのため土器のなかの食べ物に魔が入って腐ることを恐れて魔除けの縄目を施していたのだ。魔が腐敗を意味していたことは、ヤマブドウ酒を造るのに用いたとされる有孔鍔付土器《ゆうこうつばつきどき》に縄目がないことでもわかる。酒造りでは魔が入ることでヤマブドウが醸されて酒に変化する必要がある。だからあえて縄目を入れなかったのだ。

また縄文後期には日本にコメが入ってきた。今の日本人にはコメが主食のイメージが強い。しかし古代アンデスでは、主食だと考えられていたトウモロコシのほとんどが酒の原料として使われていた。それなら日本のコメも似たような状況だったのかもしれない。さらに弥生時代に入って大陸から発酵食品が日本に流入すると、その影響で従来の縄目の存在意義が薄らいだ。それが文化や風習の変化を生んだのだろうか。その縄文と弥生のちがい同様、パラカスとナスカとの間にも大きな隔たりがあるのだ。

9　古代アンデスのミイラに世界初のインプラント

天野博物館の展示物のなかには、コペルニクスの頭蓋と同じように梨状孔の位置が「アシンメトリ現象」の特徴を示すミイラがあった。そのミイラを観察していて、私は古代アンデスに「アシンメトリ現象」が多かった理由のヒントを見つけたのである。

そのチャンカイ時代のミイラには、頭蓋の口元に何か義歯のようなものが埋め込まれていた。それは鈍い銀色をしていて鉄でできているように見えた。しかも下顎に埋め込まれた右中切歯と側切歯は、二本とも根元が歯槽まで入り込んでいる。するとこれは義歯ではなくインプラントではないか。そんな印象を受けた。

インプラントとはいわゆる人工歯根のことである。単なる義歯とちがってチタンという金属で作った歯根を顎骨に穴を開けて埋め込むので、自分の歯と同じように咀嚼できるのが特徴だ。金属を埋め込むと体は異物として排除するものだが、チタンだけは体になじむ。だからインプラントの素材はチタンでなければならない。

インプラントの開発の歴史は一九五二年スウェーデンの医師ブローネマルクが骨とチタンが結合するのを発見したことから始まったとされる。それならチャンカイのように鉄すらない時

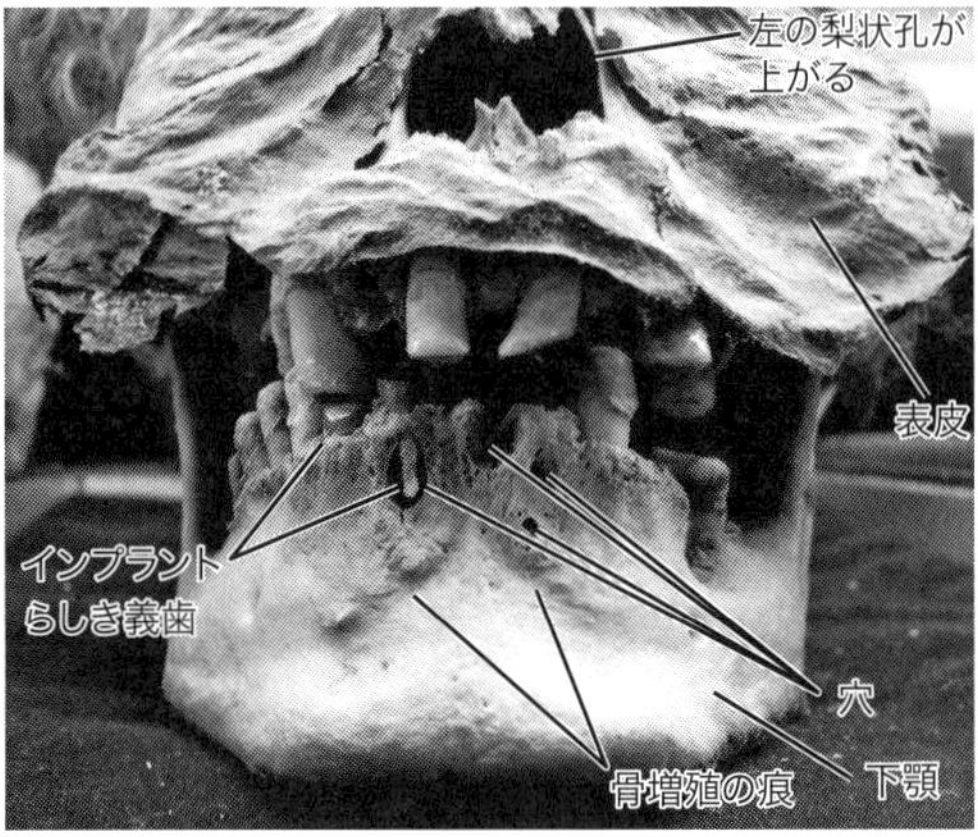

インプラントを埋め込んだチャンカイのミイラ

代にチタン製のインプラントを入れていたと考えるのは突飛だろうか。しかし展示物の解説をしてくれた阪根氏の話では、数年前に実施された日本の歯科研究者による調査でも、これがインプラントであるかどうかの結論はまだ出ていないらしい。つまりインプラントではないとも確定していないのだ。

ペルー国立考古学人類学歴史博物館のイルダ・ヴィダル博士は、これは死後にはめ込んだ義歯だろうといっておられた。だが死後にはめ込んだにしては、あまりにも噛み合わせが機能的にできている。さらにチャンカイ時代の他の頭蓋と同じように、このミイラの歯は全体的にかなりすり減っている。そして義歯だとされる歯も同じく咬耗した形になっている。やはり私にはこれが咬耗した他の歯に合わせて作られたものとは思えない。差し込んだ後に実際に咀嚼していたから咬耗したと見るべきだ。するとこれは明らかな生存徴候なのである。そこでまずはこれがインプラントである可能性から考えてみよう。

この頭蓋は中切歯の根元に穴が開いていた。下顎にも左中切歯と側切歯の根元に穴が開いている。これらの穴はなぜ開いたのだろうか。

現代のインプラント手術では、レントゲンで顎骨の厚みを確認しながら骨の中心にインプラントをねじ込む。しかしねじ込む方向が中心から外れると、破骨細胞機能が亢進して骨に穴が開いてしまうのだ。

このミイラの中切歯は歯根が唇側にズレている。つまりインプラントを打ち込む方向が中心からズレている。そのせいで破骨細胞によって後で穴が開いてしまったと考えられる。また左の下顎にも同じような穴が開いているから、このミイラの下顎には合計四本のインプラントが打ち込まれていた可能性がある。

破骨細胞によって顎骨に穴が開いていたなら、後になって歯肉にも穴が開いてしまっただろう。するとこの人物は、生前も歯肉の穴からインプラントの根元が覗いていたのかもしれない。またこのミイラの下顎には、左右に弧を描くような骨増殖の痕が見られる。この骨増殖の痕跡をどのように考えるかも重要なポイントだ。

通常の歯根にはクッションの役割を果たす歯根膜という二ミリほどの組織がある。だがインプラントに歯根膜はないので、咀嚼の衝撃はそのまま顎骨に伝わることになる。このミイラはインプラントが斜めに打ち込まれたせいで、歯根膜の代わりとして顎骨を補強するためにこの位置に骨増殖が発生したのかもしれない。

このように顎骨の穴と骨増殖の痕から判断すると、やはりこのチャンカイ時代のミイラに残された銀色の歯はインプラントではないか。しかもインプラントが打ち込まれた後もこの歯で咀嚼していたと考えられる。

もしこれがインプラントなら、世界初のものである可能性が高い。それだけでなく、これが唯一の存在だともいえない。仮に古人骨の頭蓋からインプラント自体が抜け落ちていたとしても、今回の調査のように顎骨に開いた穴や骨増殖の痕が確認できれば、そこにインプラントが埋め込まれていた可能性は残される。小片コレクションのなかにも、それらしい頭蓋はいくつか確認できた。今後もこのような視点で調査を続ければ、さらにインプラント手術の証拠が発見されることも期待できる。

古代アンデスで頭蓋穿孔《とうがいせんこう》と呼ばれる脳外科手術が行われていたことは広く知られている。その手術痕がある頭蓋も数多く発見されている。脳外科手術となれば現代でも命の危険を伴う大手術なのに、患者は手術後も生存していたことがわかっている。それならば、当時の技術でインプラント手術ぐらいできたと考えてもおかしくはないだろう。

10　ミイラのインプラントの素材を考える

では、このインプラントの素材は何だろうか。チタン以外の金属であれば、自己免疫によって非自己だと認識されるから顎骨に定着できずに抜け落ちてしまう。見た目は鉄のようだったが、ひょっとしたら純度の低い銀かもしれない。銀も鉄のように黒く変色するからだ。だが一度目の調査の際には確認できなかった。そこで二度目のペルー渡航時には磁石を持参した。その磁石をそっと近づけてみたら全く反応しなかった。従ってこれは鉄でも隕鉄でもない。磁石に反応しない金属となるとチタンや銀である可能性は残された。

しかしチタン鉄鉱などからチタンを製錬するには、かなり高度な技術が必要だ。何世紀も昔のチャンカイ時代にチタンが製錬できた可能性は低い。銀の可能性はあるが、あとは専門家に調べてもらうしかない。

それなら金属以外の素材の可能性はあるだろうか。身近にある何らかの有機物を材料にしたとも考えられる。根元には白っぽく見える部分があるので、骨や歯を加工したものかもしれない。だが例え骨や歯であっても、それが自分のものでなければ異物として排除されてしまう点に変わりはない。

では本人の骨や歯から作った場合はどうだろう。まず自分の骨だった可能性から考えてみよう。骨は皮質骨と海綿骨でできており、皮質骨とは骨の表面のツルツルした部分で、海綿骨は骨の中のスポンジ状の部分である。仮に骨を加工したとしても、骨の構造上、皮質骨だけで歯の形を作ることはできない。それではどうしてもザラザラした海綿骨の部分が歯の表面に出てしまうのだ。

また骨には歯ほどの強度がない。装飾用の歯だった可能性もないとはいえないが、それでは歯として実用にはならない。もちろんこのミイラの胴体は発見されていないので、自分の骨の一部を加工した可能性を完全に否定することもできない。けれども強度の面から見ると素材が骨である可能性も低いだろう。

次に自分の歯を切歯の形に加工した可能性についてはどうか。このミイラは大臼歯が六本抜け落ちていたので、それらを加工した可能性はある。しかしこのインプラントはかなり細くなっていた。もしそのような形に加工したら歯としての強度に問題が出る。それでは素材自体は歯であっても、とても咀嚼の力に耐えられそうにない。このように考えを重ねていくと、骨や歯を加工した可能性はほとんどなくなってしまうのだ。

11　麻酔薬で失明した古代アンデスの人々

さてこのインプラントに関しては、他にも私にとっては重要な疑問がある。それは手術時の麻酔の問題だ。現代のインプラント手術はしっかりと麻酔をかけてから行う。では麻酔薬などなかったはずの時代に、この手術はどのようにして行われたのだろうか。

普通なら皮膚の浅い部分に針を刺しただけでも相当痛い。それが骨まで突き通す手術となると、尋常なレベルの痛みではない。ある歯科医の話では、インプラントを顎骨に打ち込んだら激痛のあまり麻酔すら覚醒するほどらしい。全く麻酔なしで手術することなど到底考えられないのである。

同様の疑問は、古代アンデスで盛んに行われていた頭蓋穿孔手術に対しても浮かんでくる。現代のわれわれには手術の目的はわからない。しかしその多くに骨新生が認められることからは、手術が行われたのが生前であり、術後も生存していたことがわかる。そしてこの手術には、麻酔としてコカの葉が使われたと考えられているのだ。

コカとはコカインの原料となる植物だ。コカの歯を噛むと疲れが取れ、のどの乾きを癒やすことは知られているが、よく噛んでペースト状にしたコカの葉を傷口に塗ると、痛みが軽減す

チョウセンアサガオ

盲人を模したモチーカの土器

る効果もある。

ペルーにおけるコカ栽培の歴史は古く、古代アンデスの民衆にはコカの葉に植物の灰を混ぜて噛む習慣が浸透していた。古人骨の多くに著しい歯の咬耗が見られるのも、この習慣のせいである。

インプラントが施されたミイラの歯にもかなり激しい咬耗が見られた。するとこの人物もコカの葉でインプラント手術の痛みに耐えたのだろうか。しかしコカの葉程度では、どう考えても頭蓋穿孔やインプラントの手術に対して麻酔の効果が弱すぎる。

そこで思い出されるのがチョウセンアサガオの存在だ。江戸時代の医師・華岡青洲は世界に先がけて麻酔をかけて外科手術を行った。そのときに使われたのがチョウセンアサガオなのである。この植物はペルーあたりが原産地だから、チャンカイ時代にもあちこちに自生していただろう。強烈な麻酔効果があることも現地ではよく知られていたはずだ。それを手術時の麻酔として使った可能性は十分ある。そしてそのチョウセンアサガオの中毒で失明した人が多かったのではないか。古代アンデスの象形土器に盲人を模したと思われる作品が多いのも、そのためではないかと考えられるのだ。

第4章

ミイラになりたかった鑑真

『鑑真和上坐像』（作者不詳）

日本最古の肖像彫刻だとされる国宝。結跏趺坐で亡くなった鑑真和上の臨終の姿であり、和上の人格まで表現した傑作だといわれる。だが正中線が大きくズレていることからは、頭と胴体が別々に造られたものだとわかる。この穏やかな表情も実はデスマスクではないか。

1 『鑑真和上坐像』の顔はデスマスクなのか

私は学生のころ仏教美術に目覚めた。日本中の仏像を見て回った結果、私のなかでトップランクに位置づけられているのが法隆寺の『百済観音像』である。この像のしなやかなプロポーションは、同じ八頭身彫刻であるミロのヴィーナスにも引けを取らない。

そのミロのヴィーナスが一九六四年に世界で初めて日本に貸し出された。そのお返しとして、当時のフランス大統領ポンピドーの要請で海を渡ったのがこの『百済観音像』なのである。さすがポンピドー美術館を作っただけあって、彼の美を見きわめる能力は非常に高かったのだ。

日本の仏像のほとんどはギリシア彫刻に比べるとどうしても見劣りがする。しかし『百済観音像』だけはきわめて特殊なのである。このプロポーションの彼我のちがいは、美術の問題ではなく人種としての体型のちがいのせいかもしれない。

造仏は一世紀の終わりごろギリシア彫刻に影響されたインドで始まった。そのため当時の仏像はみなアルカイック様式できわめて西洋風なのである。それが四世紀に入って中国に渡ったことで徐々に東洋の味つけが加わっていった。おかげで日本に渡って来るころには、お釈迦様のウェーブのかかった髪はカタツムリの殻を貼りつけたようになり、優雅だったプロポーションも布袋様《ほていさま》のような太鼓腹で表現され、縁起物的な要素が強くなった。そこにはギリシア彫刻の面影はない。

『百済観音像』(作者不詳)

もちろん仏像というのは信仰の対象なのだから、その姿を美術的な観点だけで判断すべきではない。だが美術評論で、「慈愛に満ちたお姿」などといった紋切り型の説明しか出てこないのも能がない。仏像が造られ始めた飛鳥時代には百済観音のようなあれだけ美しい像が生まれていたのに、なぜその後の日本の仏像は様式美を踏襲するだけの彫刻になったのだろうか。

実はインドから中国に渡って変化したのは仏像の様式だけではなかった。信仰の対象である仏像の形が変わったのは、仏教の本質が大きく変化したことを意味している。日本の仏教はお釈迦様の説いた教えとは全く別のものになってしまったのだ。

そんななか日本の仏像彫刻には肖像彫刻という新しい分野が生まれた。その表現は図らずもギリシア彫刻的リアリズムに回帰していた。なかでも唐招提寺の『鑑真和上坐像』は、きわめて精緻な表現の作品として評価され国宝にも指定されている。

作家の陳舜臣《ちんしゅんしん》はその著書『西域余聞《さいいきよもん》』のなかで、「鑑真和上坐像の顔をじっとみつめていると、右の目が心もちおかしいのに気づく。この坐像をつくった人たちは、たいそうリアリストであったのだ」と記述している。実際には、おかしいのは右目ではなく左目なのだが、鑑真像に関しては専門の研究者も多いのに、目の左右差について言及した人はいなかったのだから、陳氏はさすがにけい眼だといえる。またこの像は左の口角が上がり、左のほうれい線が深く刻まれ、額や後頭部のしわも左上がりで、「アシンメトリ現象」の特徴がいくつも見られるのである。

鑑真は奈良時代に入唐僧の栄叡《ようえい》からの要請で、日本に律宗を伝えるために渡来した。彼は東大寺の戒壇院を設け、唐招提寺を建立し、朝廷から大和上の称号を賜った高僧だ。現在その鑑真の肖像である国宝『鑑真和上坐像』が唐招提寺の御影堂に安置されている。

美術の教科書では、鑑真像は脱乾漆と呼ばれる技法で造られたと説明されている。しかし法衣に包まれた胴体部分はともかくも、この顔や肋骨の浮き出た胸の部分の表現はとても脱乾漆で造られたとは思えない。どう見ても型取りによるリアリティである。脱乾漆技法では粘土で原型を造り、麻布を漆液で貼り付けて乾燥させる。そのあと中の粘土を取り除いて仕上げるので、その分だけ形が甘くなってしまうのだ。

この脱乾漆に対して型取り技法では、元になるものから直に型を取って鋳型を起こす。そこに漆液で麻布などを貼り込んで乾燥させ、最後に型から抜いて仕上げる。従ってデスマスクやライフマスクのように、人の顔で型を取って鋳型を起こせば、本人の顔と全く同じ形のものができ上がる。私には鑑真像の顔の部分はこのようにして造られたと思える。

ただしこれが生前の顔か死後の顔かはわからない。明らかに血管が浮き出て表現されているのでもなければ、顔からだけでは生存徴候の識別はできない。しかしこの表情から受ける印象では死に顔ではないだろうか。

型を取るとき、現代なら石膏やシリコンを使う。当時の資料がないので、素材として何を使ったかは知られていない。この時代なら漆喰《しっくい》、もしくはところてんだろうが、私はところてんを使った可能性が高いと思う。

現代人にとってところてんは食べ物でしかない。しかし大正時代に建てられた旧安田邸の装飾の型取りにも、ところてんと同じ素材の寒天が使われている。もちろん大正時代にも石膏はあったが、石膏を使って複雑な形のものを造ろうと思えば、型をいくつも分けなければならない。その点、寒天を使えばシリコンと同じように型抜きができる。そのうえ抜き勾配《こうばい》を考えなくてもすむから、一つの型で制作することもできるのだ。

　ところてんの存在は八世紀に編纂された『出雲国風土記』にも登場する。奈良の都の市場でも売られていた一般的な素材だった。またところてんを乾燥させて寒天を作る技術は江戸時代に確立されたといわれているが、こういった技術はずっと以前から日本に存在していたのではないか。型取りの技術自体は当時の東大寺の伎楽面《ぎがくめん》や大仏の制作でも使われている。だからデスマスクを造るぐらいはかんたんだったはずなのだ。

『重源上人坐像』（作者不詳）

　実は型取り像には他にも大きな利点がある。その利点とは高崎のダルマのように量産が可能なことだ。現在のダルマ製作には金型を使っているから、同じものをいくらでも造ることができる。従って鑑真像がところてんや漆喰の型取りだったとしても、うまくいけば同じ型からもう一、二体は抜けただろう。しかし現存する脱乾漆の鑑真像は唐招提寺にある一体だけだ。他には見つかっていないし、あったという記録もない。だからといって制作者に量産の意図がなかったといいきることもできない。
　のちに東大寺復興のため大勧進とまで称された重源《ちょうげん》

上人《しょうにん》は、在世中に自分の肖像を造らせた。それを生身仏《しょうじんぶつ》として鑑真ゆかりの阿育王寺《あいくおうじ》に安置させている。重源像は木彫だったが、東大寺の俊乗堂の他にも何体か残っている。まして鑑真像なら、授戒の象徴としていくらでも需要があったはずである。

2 頭と胴体が別々に造られた鑑真像

日本の仏像は古代ギリシア彫刻と同じように左右対称に造られている。それならば仏像と同様、鑑真像のような肖像彫刻も左右対称に造られるべきだ。ところが鑑真像を正面から見ると、頭と胴体とでは正中線が著しくズレていて頭が大きく左に寄っているのである。これほどの像を造る優れた技量があれば、頭と胴体を一体で造っていながらこんなに正中線がズレるはずがない。

さらに横から見ても不自然な部分がある。二〇一二年に凸版印刷が鑑真像を三次元計測したときの横向きの写真では、耳の前にあるはずの下顎が耳の後ろ側の位置まで長く伸びているのだ。改めて正面からの写真を見直すと、本来ならその場所にあるべき胸鎖乳突筋が左右のどちらにもない。これはリアルに造られているはずの鑑真像にしては人体の構造上も奇妙な形なのである。

これらのことからは、やはり頭と胴体などは別々に造ってあとで組み立てたものであることがわかる。これはある程度、彫刻や造形を経験した人間ならすぐに察しがつくことだ。

また胴体を包んだ法衣の造形が様式的であるのに対し、顔から胸にかけての部分は造形としての写実とは全くちがう表現になっている。この点から見ても頭と胴体などの部分が別々に制作されたと判断できる。今われわれが目にしている鑑真像は古びて色褪せているから、上下がアンバランスでも全く気にならない。しかし制作された当時なら上下のちがいはかなり際立っていたはずだ。

それではなぜ、頭と胴体を別々に造る必要があったのか。当時の唐では全てを一体で造る一木造りが主流になっていた。木彫りでないにしても鑑真像は等身大なので、その気があれば最初から一体として制作したはずだ。またよほど大きなものを造るつもりならパーツに分けて制作し、あとから組み立てて一体化する。しかし等身大の鑑真像には大きさの観点からでは頭と胴体を別々に造る必要はない。逆にいうと、鑑真像の顔が本人からの型取りであるがゆえに顔と胴体とを分けて制作する必要があり、必然的に大きさも等身大になった。そう考えるのが妥当である。

では鑑真像に本人の顔から型取りするほどのリアリティが求められた理由とはいったい何だったのだろうか。

3　ミイラになりたかった鑑真

葬儀で故人の写真を飾るなら、生前の幸せそうな顔の写真を選ぶはずだ。ピントが合った写真がないからといって、わざわざ棺のなかの遺体の顔を撮影して間に合わせることなどあり得ない。そんなリアリティはだれも望んではいない。

それならなぜ鑑真像に限っては型取りまでする必要があったのか。残された者が彼の死を悼む気持ちからだけでは、あのリアリティは必要ない。するとこの鑑真像は、鑑真本人の意向によって制作されたものだと考えられるのだ。

鑑真は日本に渡航する前、韶州《いんしゅう》の法泉寺という禅宗の寺に立ち寄った。彼はそこに祀《まつ》られている禅宗の第六祖、慧能《えのう》の肉身像（ミイラ）を見ている。この像は肉身に着衣した状態でまるごと漆をかけて造られたもので、基本的には脱乾漆像と同じ技法で制作された見事なものだった。そこに生前の姿を留め、死してなお、限りない尊崇の念を集め続ける慧能。その像を目にした鑑真が、高僧の証としていずれは自分もこのような姿になりたいと願ったであろうことは想像に難くない。

死体をミイラにする風習は世界中に見られるが、本来の仏教には肉身像を祀るような習慣はなかった。しかしチベットと中国には、仏教教団の高僧をミイラにする風習があったようだ。チベットの場合は遺体を塩漬けにしてミイラにし、唐では内臓を抜いた遺体に麻布を貼り、漆を塗って仕上げていたらしい。それらは決して奇異な存在ではなく、むしろ畏敬の対象だったのである。

ところが鑑真が渡航した日本にはそのような風習はなかった。それどころか当時の日本では死体は穢れの存在だ。従ってミイラにして祀ることなど朝廷から許されるはずもなかった。試してみようにも日本にはミイラを作るための防腐技術もない。そこで仕方なく、死体の顔から型を取ってデスマスクにし、胴体は脱乾漆像として造ることで肉身像の代わりにした。当時の状況からはそう考えられるのだ。

さらに鑑真像には他にも秘密が隠されている。この像をくわしく調査した資料によると、像の内部に細かい骨らしきものが確認されたのだ。鑑真には遺骨を埋葬した墓がないから、火葬にした後、遺骨を砕いて像の体内に埋め込んだのだろうか。唐には漆に骨粉を混ぜて塗り込めた遺灰像《ゆいかいぞう》を造る習慣があったので、それに倣ったのかもしれない。すると鑑真像は日本で初めての遺灰像だということもできる。

この鑑真像以降の日本では多くの写実的な肖像彫刻が造られた。東大寺を再興した鎌倉時代の重源上人や江戸時代の公慶上人の肖像彫刻はきわめてリアルに造られている。そしてなぜか重源は左目が小さくなっており、公慶は左目が充血したように赤くなっている。これらは「アシンメトリ現象」の研究対象としても非常に興味深い存在だ。

4 鑑真が体験した炎熱地獄

鑑真が何度も渡航に失敗して心身ともに疲弊した結果、失明した話は有名だ。しかし具体的な失明の原因は不明である。一説ではアラビア人医師から受けた白内障手術の失敗が原因だともいわれる。

白内障は主に老化のために水晶体が混濁して視力が低下する病気である。だが現代でもリスクを避けるために手術は片目ずつ行われることがある。それほど危険な手術を鑑真はいきなり両目で受けてしまったのだろうか。そう考えると失明が手術のせいだけとは考えにくい気がする。

研究者のなかには、鑑真は来日後もしばらくは目が見えていたと考える人がいる。その根拠としてしばしば登場するのが「鑑真奉請経巻状」という一通の書状である。これは鑑真の直筆だから、彼は目が見えていたはずだと考えたのだ。

ところがこの書状には、王羲之《おうぎし》の書体の特徴が全く感じられない。王羲之といえば中国では当時も今も書聖として崇められる代表的な書家である。もし彼の書が現存すれば国宝中の国宝だ。鑑真は渡来時にその王羲之父子の書をわざわざ携えてきたほどだから、彼の文字にその影響がないのはおかしい。

またわずかでも見えているのに失明しているなどと公言するわけもない。従って鑑真は定説の通り失明していたと思う。しかし私は、失明の原因は単なる心身の疲弊や白内障の手術の結果ではなく、薬による中毒ではないかと疑っているのである。

鑑真は唐の高僧であると同時に、医術・薬学にも精通していた。仏典とともに多数の薬を日本に招来したことでも知られている。そのため日本では鑑真を薬学の始祖と呼ぶこともある。

彼は来日した時点ですでに失明していたが、それでも薬物の真贋や効能の識別には優れていた。皇太后に処方した薬がよく効いたことが評価され、大僧正の位も授かっている。それらの薬の一部は今でも正倉院に保存されている。

ところが当時の薬は決して実証的なものではなかった。神仙思想に基づいた仙薬としての役割を担っていたため、現代から見るとかなり危険な成分も含まれていた。

現在でも、漢方薬などの生薬の原料にはアルカロイドを含むものが多い。アルカロイドとは、窒素を含む塩基性有機化合物の総称で、いわゆる植物毒でもある。漢方薬として使うときには、その毒性を薄めて薬として生理作用を及ぼすことを目的としているのだ。

鑑真は薬の識別に優れていたが、伝説上の医薬神「神農」が百草の効能を自分でなめて調べたという故事に倣って、彼も調合した薬の効果を自分の体を使って試していたのだろう。そうなれば、必然的に薬に含まれているアルカロイドの影響を直接受けることは避けられない。そうやって自分で人体実験を重ねた挙げ句に、華岡青洲の妻と同じ経過をたどって失明したと考えられるのだ。

華岡青洲の妻は、アルカロイドを含むトリカブト（附子）やチョウセンアサガオ（曼陀羅華）を配合して開発された麻酔薬（通仙散）の実験台になり、数回に及ぶこの実験の影響で失明した。この麻酔薬に含まれていたアルカロイドは網膜血管のけいれんや網膜細胞の収縮を引き起こす。それが古代アンデスの人たち同様、失明の原因となったのだ。鑑真の失明の原因を考えるうえで私はこの点を重視している。

また鑑真はただ失明しただけではない。淡海《おうみの》三船《みふね》の『東征伝』には鑑真の失明の経緯が克明に描かれている。そこには「時に和上頻りに炎熱を經て、眼光暗昧なり。ここに胡人ありて、能く目を治すといふ。遂に治療を加ふるに眼遂に明を失せり」と記されていた。

「炎熱」とは単に高熱が出たことを意味するだけではない。仏教では八熱地獄と呼ばれる八つの熱地獄があり、その一つが炎熱地獄である。従って彼は漢方薬に含まれるアルカロイドの中毒によって失明に至るまでの間に、尿失禁や幻覚、興奮、錯乱といった地獄の苦しみを味わったとも受け取れる。その姿はとうてい高僧とは思えない惨状だったかもしれない。華岡青洲が開発した麻酔薬の効果にしても、こういった中毒症状であって麻酔と呼べるような状態ではなかった可能性も高いのだ。

そして鑑真の失明の経緯をこのように私が結論づける根拠となっているのが、「アシンメトリ現象」の特徴そのままの、鑑真像の小さくなった左目なのである。

1 世界の名画に表現された「アシンメトリ現象」

私はこれまでミロのヴィーナスや古代アンデスの象形土器だけでなく、日本の肖像彫刻にも「アシンメトリ現象」を見つけてきた。これは左右対称かどうかを見分けられさえすれば、だれでも気づけることである。特に立体の作品であれば、そこに写し取られた「アシンメトリ現象」を確認するのはたやすいだろう。ところが絵画のように平面に表現された作品となると、その存在の証明はきわめて難しいものになってしまう。

絵画に「アシンメトリ現象」特有の左右差があるかどうかを見きわめるには、そこに描かれた人物ができるだけ正面を向いている必要がある。しかし肖像画を始めとする人物像には、直立不動で真正面から描かれた作品などまず見当たらない。芸術性の高い肖像画は、必ずといっていいほど斜め横を向いている。また人物像には何らかの動きが表現されていることが多い。仮に顔を正面から描いてあったとしても、その一枚だけを見て立体として左右非対称かどうかを判断するには根拠が希薄である。

しかも作者がモデルを正確に写し取っているとは限らないから、その点も考慮しなければならない。それどころかそのモデルが実在するかどうかもわからない。われわれは絵画を見て錯覚することも多いが、鑑賞者に錯覚を起こさせるのが画家の意図するところでもあるからだ。

ルネッサンスのころから油絵具が使われ始め、遠近法などの描画技術も発達した。その進歩によって非常に細密な作品が登場するようになった。なかにはきわめてリアルなイエス・キリスト像も数多く残されている。しかし作者のだれ一人として、イエス本人を直接見たことなどない。つまり表現がリアルだからといって、それが見たままの姿を再現していると考えるわけにはいかないのである。

われわれ現代人の周囲には、生まれたときから写真や映像があふれている。そのためリアルに描かれた絵画を写真を見るような感覚で捉えてしまう。専門の研究者でさえ、絵画のリアリズム表現を写真のように正確なものだと誤解して、そのまま研究資料にすることがある。

例えば、モナ・リザは高脂血症だったという説が話題になっていたことがある。イタリアの解剖医がモナ・リザの目の横にあるふくらみを指して、高脂血症の患者によく見られる眼瞼黄《がんけんおう》色腫《しょくしゅ》ではないかと推測した話が元になっているらしい。

だがあれは油絵にはよくあるもので、作者が意図していない絵の具の変化に過ぎない。それでは天井のしみが人の顔に見えるというようなものだ。ところが高脂血症説が話題になって以来、日本ではそれが事実であるかのように広まってしまった。

もしその程度の根拠でモナ・リザが高脂血症だと判断されるなら、ピカソの『泣く女』のモデルは顔面複雑骨折だったことになる。また眼瞼黄色腫のような皮膚病変をわざわざ描き込んでいたとしたら、『モナ・リザ』は名画として評価されることもなく歴史に埋もれていたことだろう。

『モナ・リザ』（レオナルド・ダ・ヴィンチ）

だが高脂血症はともかく、モナ・リザに「アシンメトリ現象」の特徴が見られることは事実なのである。

『モナ・リザ』はレオナルド・ダ・ヴィンチの代表作であり、日本でも知らない人はいないはずだ。私も二〇代のころルーブル美術館で実物を見たが、当時はこの世界的な名画を前にしても、ミロのヴィーナス同様「あ、これか」といった程度の感想しかもてなかった。しかし今はちがう。「アシンメトリ現象」によって確かな基準を得てからの私は、絵画の見方まで全く変わってしまったのである。

2　モナ・リザの左目

現代なら画家といえば芸術家であり社会的なイメージも悪くはない。ところがルネサンスのころの絵描きは単なる職人の扱いで、その多くは出自もあまりよくなかった。レオナルド・ダ・ヴィンチにしても、ヴィンチ村のレオナルドという意味だから、国定村《くにさだむら》の忠次《ちゅうじ》程度の呼び名に過ぎないことになる。

また彼の本国イタリアでは、歴史的な偉人はみなファースト・ネームで表記する。従ってレオナルド・ダ・ヴィンチはレオナルドと書くべきなのだろう。だが日本ではダ・ヴィンチのほうが一般的だから、本書でもダ・ヴィンチにしておきたい。

さてそのダ・ヴィンチ作の『モナ・リザ』は顔が左右非対称に描かれている。これは以前から多くの専門家が指摘してきたことでもある。例えば顔の左半分は悲しみを、右半分は喜びを表現しているとか、顔の左右が男女に描き分けられているのだなどといった憶測を呼んできた。

だがモナ・リザの左目が小さくて鼻がわずかに左に曲がり、左の口角が上がっているように見えるのは、ダ・ヴィンチの作意によるものではない。これらは彼が『モナ・リザ』のモデルとなった女性に現れていた「アシンメトリ現象」の特徴を正確に写し取った結果なのである。

ウォルター・アイザックソンの話題作『レオナルド・ダ・ヴィンチ』のなかに、モナ・リザの瞳孔に関する考察の記述がある。そこではモナ・リザには光が右側から当たっているのに、右目の瞳孔が左よりも大きいのは不自然だと指摘されている。彼はその理由を、瞳孔の大きさが左右で異なる瞳孔不同だとか、喜んだときに一瞬、瞳孔が広がった状態を表現したものだと考えた。しかしダ・ヴィンチの観察眼が優れていることを感嘆するに留め、それ以上の考察はしていない。

『モナ・リザ』だけでなく、瞳孔の大きさにこだわって表現された作品は多い。デューラーの『聖マルコの頭部』では『モナ・リザ』以上に瞳孔の左右差が描かれている。またミケランジェロのダヴィデ像は、両目ともかなり瞳孔が開いて表現されているのだ。

ではモナ・リザの瞳孔について考えてみよう。瞳孔つまり瞳が大きいのは美人の条件だといわれる。中世からルネサンスにかけて、女性たちの間でナス科植物のベラドンナの汁を水で薄めた点眼が流行していたのも、ベラドンナに含まれるヒヨスチアミンなどが散瞳剤として働くことが知られていたからだ。しかし散瞳剤を使ったからモナ・リザの右の瞳孔が大きいのだとしても、片目だけに点眼する理由が見当たらない。従ってこれは散瞳剤のせいではない。

他にもダ・ヴィンチは『ジネーヴラ・デ・ベンチの肖像』『音楽家の肖像』『洗礼者ヨハネ』など、いくつもの作品で右目の散瞳を描いている。しかしここで注目されるべきは右目ではなく左目の特徴なのである。

アイザックソンにはモナ・リザの右目が散瞳しているのか、逆に左目が縮瞳しているのかを確かめる基準がなかった。それなのになぜ彼は左目を疑うことなく右目にこだわったのか。『鑑真和上坐像』を見た作家の陳舜臣も真っ先に右目がおかしいと判断した。また「アシンメトリ現象」の特徴である脊柱起立筋の左右差を見て、異常なのは盛り上がった左側なのに右側がへこんでいると誤解する人もいる。人は本能的に右側に注目するものなのだろうか。

その点、三木成夫は解剖学者であるだけに人体を熟知していた。だから学生たちの起立筋に対しても異常なのは左だと即座に判断できたのだ。もちろんモナ・リザの場合も異常なのは右目の散瞳ではなく左目の縮瞳なのである。

医学的には瞳孔の直径が三〜五ミリが正常で、二ミリを切ると縮瞳、五ミリを超えると散瞳だと判断される。例えば縮瞳を起こす疾患の一つにホルネル症候群があるが、ホルネル症候群では交感神経に障害が起きた側の目に縮瞳が起こる。

ただしこれが「アシンメトリ現象」であれば、縮瞳が起こるのは左目だけである。イングランドのヘンリー七世も、彼のデスマスクから復元した画像では左目だけに縮瞳が現れていた。さらに彼の肖像画は、左の鼻の孔が円く、左の胸鎖乳突筋が緊張して描かれている。従ってこの左目の縮瞳も偶然ではなく「アシンメトリ現象」だ。そしてモナ・リザの左目に縮瞳が現れているのも、光の当て方などとは関係ないのである。

しかし仮にモナ・リザが身近な人間だったら、ただごとではない。こんな症状が出ていたら脳腫瘍や大動脈解離などの重大疾患まで想定しなければいけない。それこそ高脂血症どころの話ではなくなってしまう。

だがその後、『モナ・リザ』のモデルの女性が重大疾患になった記録はない。しかし決して健康体でもなかったはずだ。それがわかるのは、彼女の顔以外の部分にも「アシンメトリ現象」の特徴がはっきりと出ているからである。

もちろんこういった推測に確証はない。所詮、絵画は平面であるし、一枚の絵だけを見て断定もできないだろう。ところが最近になって新たに左右の非対称性を実証できるダ・ヴィンチ作品が登場した。その存在によって、『モナ・リザ』に描かれていた左右差が「アシンメトリ現象」である可能性はさらに高まったのである。

3 『モナ・リザ』に似た『サルバトール・ムンディ』

二〇一七年一一月、『サルバトール・ムンディ』と呼ばれる油彩作品が美術作品史上最高額（約五〇八億円）で落札されて話題になった。サルバトール・ムンディとは世界の救世主のことだから、これはイエス・キリストの肖像画なのである。この作品については長いあいだ真贋論争が続いていた。しかしこの度、正式にダ・ヴィンチの作品だと認定され、その美術的価値よりも金銭的な価値が跳ね上がったことで名を上げた。

私は今回の報道で初めてこの作品の写真を見て、真贋はともかくもこれがダ・ヴィンチの意図した作品であることは即座に確信できた。表現として男女のちがいはあるが、『サルバトール・ムンディ』は明らかに『モナ・リザ』と同じモデルを基にして描かれている。それがわかるのは、両者には「アシンメトリ現象」の共通した特徴が見られるからなのである。

『モナ・リザ』同様、『サルバトール・ムンディ』も顔が左右非対称であることは、多くの研究者からも指摘されている。この作品は何度も修復されてきたが、現在の修復よりも前の一九〇八年版を見ると、左の目がかなり小さくなっている。また鼻は左に曲がり、左口角が上がり、左の頬がこけている。そして左の肩まで上がっていて、現在の作品よりも「アシンメトリ現象」の特徴がしっかりと出ているのだ。

しかしここでもっとも重要なのは鎖骨のくぼみの状態である。『モナ・リザ』も『サルバトール・ムンディ』も、あるべきはずの鎖骨のくぼみが消えている。だが鎖骨のくぼみがなくなるのは、「アシンメトリ現象」の女性に多く見られる特徴だ。それが男性であるはずの『サルバトール・ムンディ』にもはっきりと現れているのはきわめて不自然なのである。

また『サルバトール・ムンディ』の胸の肉づきはあまりにも女性的だ。ダ・ヴィンチは『洗礼者ヨハネ』のように中性的な体型を好んで描く傾向はあった。しかしこれらの特徴を総合すると、やはり『サルバトール・ムンディ』のモデルは女性だったと見るのが妥当なのだ。

古代ギリシアのころから美術の世界では男性モデルを女性に見立てて表現するのは決して珍しいことではなかった。ダダイズムの代表的作家であるマルセル・デュシャン（一八八七―一九六八年）も、『モナ・リザ』の顔にひげを描き足して、「元の顔が男性だから違和感がない」といっていた。確かにダ・ヴィンチなら男性モデルを女性として描くことはかんたんだ。そして逆に女性モデルを男性として描くことも技術的には可能だったはずである。

それではなぜわざわざ女性を男性に置き換えて『サルバトール・ムンディ』を描いたのだろ

うか。こういう場合、美術評論では彼の性的嗜好に関連づけて考察したがる。しかし『サルバトール・ムンディ』に関しては性的嗜好とは全く関係がない。とにかく彼は正面を向いた女性を描きたかっただけなのだ。ところが当時の絵画の決まりでは、正面を向いた肖像画といえばイエス・キリスト像以外にはなかった。だから彼は女性モデルをキリスト像に置き換えて描くしかなかったのである。

だがそうまでしてこの女性の正面の姿を描く必要はどこにあったのか。私はその理由をウィトルウィウスの影響ではないかと思っている。

ローマ時代の著名な建築家だったウィトルウィウスは、「左右対称な体は神の姿の現れであって理想の形である」と考えた。これは古代ギリシア、特にポリュクレイトスの『カノン』における価値観を継承している。そして神殿建築も神の姿の現れである左右対称を基準にしていると考えていた。

多くのルネサンス期の画家たちと同様、ダ・ヴィンチもウィトルウィウスにはかなり傾倒していた。しかしダ・ヴィンチが彼らと一線を画しているのは、絵画のなかにウィトルウィウスの建築的要素まで取り込もうと試みた点だろう。

絵画とちがって建築は完全な立体の世界である。しかし絵画にも建築のように立体を表現する方法があるはずだ。そう考えたダ・ヴィンチは、意図的に『モナ・リザ』と同じ女性をモデルに起用し、真正面の姿で『サルバトール・ムンディ』を描くことで立体表現の完成を目指していたのである。

4　展開図を構成するダ・ヴィンチの肖像画

ダ・ヴィンチには『サルバトール・ムンディ』や『モナ・リザ』と同じモデルを使ったと思われる作品がもう一点ある。ルネッサンス期に世界一の女性と称えられたイザベラ・デステの肖像画だ。

『イザベラ・デステの肖像』
（レオナルド・ダ・ヴィンチ）

以前にも一部のダ・ヴィンチ研究者からは、『イザベラ・デステの肖像』のモデルは同一人物ではないかと指摘されていた。両者の体の比率が同じであることがその理由だ。すると『サルバトール・ムンディ』と『モナ・リザ』と『イザベラ・デステの肖像』は共に同じ人物をモデルにした三部作にな

『チェーザレ・ボルジアの肖像』(レオナルド・ダ・ヴィンチ)

る。ではこれら三点が連作になっている理由についても考えてみたい。

ダ・ヴィンチの作品のなかにはチェーザレ・ボルジアの素描がある。チェーザレはマキャベリの『君主論』の主人公としても有名だ。この素描でダ・ヴィンチは、彼を正面と右斜め横と右真横の三方向から描き分けている。三つのポーズは同じ比率で描かれているので、正投影図のような意味合いになっている。

正投影図とは、建築や工学において三次元のものを二次元に置き換えて見せるための図法である。これを絵画に応用したのは、いかにもウィトルウィウスの建築論を意識したダ・ヴィンチらしい。多分、彼のなかでは、正面と斜め横と真横の三面を描くことで、平面である絵画の世界に立体を表現する手法が確立していたのだろう。私もこの図法を使って民俗学や考古学の作図をしていたことがあるので、彼の意図は理解できるつもりだ。

ここで私がもっとも重視するのは、『イザベラ・デステの肖像』が左真横を向いている点である。この作品の存在によって顔の向きが三方向そろったことで、初めて絵画の平面の表現でありながら立体として「アシンメトリ現象」を確認できるからだ。

そのように見ていくと、この三点の他にさらにもう一点つけ加えたい作品がある。一般的には『モナ・リザ』のベースとなった作品だといわれる『白貂《てん》を抱く貴婦人』だ。

この絵はチェチーリア・ガッレラーニの肖像だとされる。先の三点とは若干顔立ちがちがうが、かといって全く似ていないわけでもない。ダ・ヴィンチは、女性の髪型やコスチュームに関してかなり好みがはっきりしていたようで、これら四点の人物は全て胸元が四角く開いた衣装を着ている点でも一致している。

『白貂を抱く貴婦人』
（レオナルド・ダ・ヴィンチ）

そして何よりも注目すべきは、この『白貂を抱く貴婦人』にも『サルバトール・ムンディ』と同じように、「アシンメトリ現象」の特徴が見られることなのだ。

この肖像は顔が斜め左を向いているのに、左の胸鎖乳突筋が緊張している。正常な体であれば顔が左を向くとき緊張するのは右の胸鎖乳突筋でなければいけない。しかも左目が小さくなって瞳孔も縮小している。また上唇の縦の溝が左に曲がり、口角も左が上がっている。これらは全て「アシンメトリ現象」の特徴そのものだから、この肖像画も含めてダ・ヴィンチの「アシンメトリ現象」四部作といってよい。

　では『サルバトール・ムンディ』『モナ・リザ』『イザベラ・デステの肖像』『白貂を抱く貴婦人』がそれぞれ正面、右斜め横向き、左真横向き、左斜め横向きの顔で描かれていることから、これらの作品を連作だと捉えるとしよう。それならもう一点、右真横向きの肖像画があってもよいはずだ。それがそろえばトータル五作品で、顔の向きを四五度ずつずらして一八〇度に展開した図ができ上がる。

『美しき姫君』（レオナルド・ダ・ヴィンチ）

　このような視点からダ・ヴィンチの作品をたどっていくと、二〇〇九年に世紀の大発見と騒がれた作品『美しき姫君』に目が止まる。この作品はモデルが正面を向いた姿を左側から描いている。すなわち顔が右真横を向いたのと同じ状態なので、上述の四点にこの作品を加えると見事に一八〇度の展開図が完成するのだ。

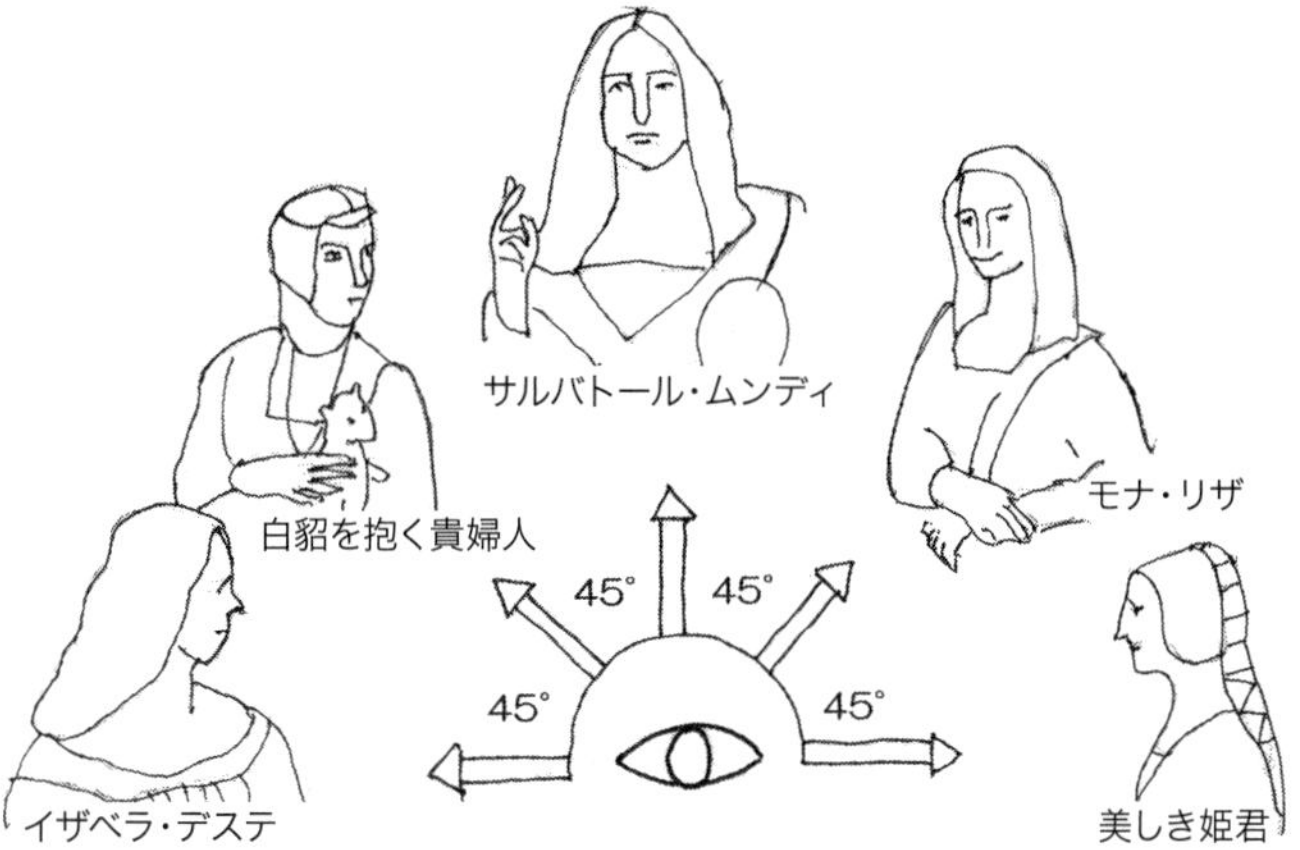

彼はこの展開図を意図して、人がなかに立てば同時に八面を映し出せる八面鏡の部屋まで考案していた。四五度ずつずらした八枚の鏡に映った姿は、それを絵画に再現すれば三六〇度の展開図として完全な立体を表現できると考えたのだろう。

この意図に沿って真後ろや真上から描いた作品まであれば、さらにおもしろい。だが後頭部や頭頂部だけの肖像画などあり得ないから、さすがに今後もそのような作品が見つかることは期待できない。

とはいえ、これだけそろえば十分だ。やはり『モナ・リザ』『サルバトール・ムンディ』『イザベラ・デステの肖像』『白貂を抱く貴婦人』『美しき姫君』の五点は連作なのである。従ってモデルは同一人物だった可能性が高まるが、この際それがだれであったかは問題ではない。ただそのモデルには「アシンメトリ現象」の特徴がくっきりと現れていたことだけが重要なのだ。

ではダ・ヴィンチは何のためにこのような図面的描法を採ったのだろうか。彼が遺した手稿のなかには「鏡は幾何学的に平面でありながら、自然の立体や遠近や色彩を正確に映し出す」と書かれている。この考え方からすると、彼は鏡に映すように三次元の世界を二次元に置き換えることを目的として絵を描いていた可能性が高い。さまざまな画法を研究していたのがこの目的のためだったのなら、彼の一連の作業は美術作品の創作というよりも科学的探究に近かったといえる。

それなら私が若いころ『モナ・リザ』を見て感動しなかったことも納得できる。どんなに建築図面が優れていたとしても、名画を見るような感動は湧き上がってこないはずだ。ダ・ヴィンチの絵画とはそのような存在なのである。

5 時間経過まで絵画に表現したダ・ヴィンチ

ダ・ヴィンチが開発した図面的描法は、後に建築図面の基礎ともなる。そして彼はこの描法をさらに進化させている点にも注目したい。

彼の作品に『ウィトルウィウス的人体図』と呼ばれるドローイングがある。この絵は医学のシンボルや黄金比のテーマとしてもしばしば引用されるので、だれでも目にしたことがあるだろう。そこには円と正方形のなかに両手両脚を広げた男性の裸体像が描かれており、その姿は理想的な人体比率だと考えられている。

　ところが理想的な人体比率でありながら不可解な点もある。真横を向いた左脚が円のフレームからはみ出して右脚よりも長くなっているのだ。そのせいで左脚は胴体とはつながらず、右脚とは別人のものになっている。その結果、画面の中心線と人物の重心線が体の左右ではちがっている。しかも顔も体も左右非対称なのである。

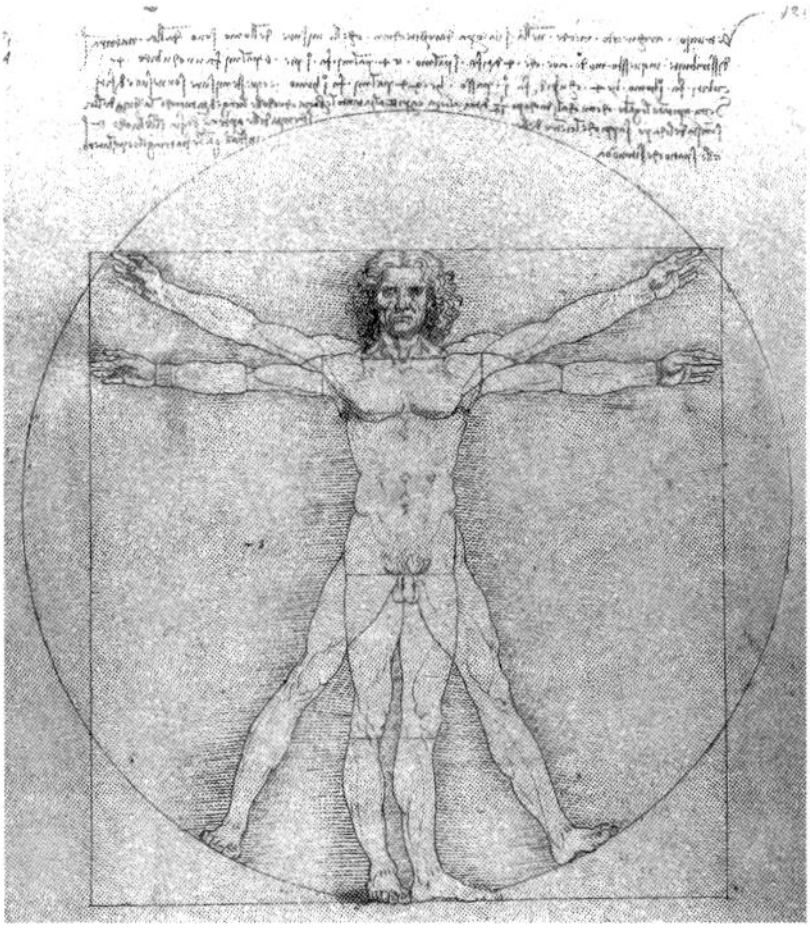

『ウィトルウィウス的人体図』
（レオナルド・ダ・ヴィンチ）

彼は本当にこの作品で理想の人体比率を表現したかったのか。私には何か他の意図があったように思える。

　私はこの『ウィトルウィウス的人体図』を見ていると赤塚不二夫のマンガを思い出す。彼は一つのコマのなかに一人の人間の手脚を何本も描き込むことで走っている姿を表現していた。ダ・ヴィンチもこの人体図に手脚を二組描き込んで動きを表現しようとしたのではないか。

　それまでの絵画技法では動きを表現するこ

とはできなかった。いくら細密に描き込んだところで映画のフィルムの一コマのようなもので、それでは一瞬を捉えたに過ぎない。しかし彼は絵画のなかに図面的描写を取り入れることで立体を表現するに留まらず、さらに進めて動画の要素を加えようとしたのである。

この『ウィトルウィウス的人体図』の他にも、彼は『迫撃砲の図』のように現代のマンガ的な描法を用いることがあった。また『大槌を使う動作』のように連続写真的な描法まで考案している。この作品はマルセル・デュシャンの『階段を降りる裸体』(一九一二年)と全く同じ発想で動きが表現されている。

動きの表現とはすなわち時間の経過を意味している。かつて美術の歴史において絵画に時間経過を表現し得たのは、日本の平安絵巻とダ・ヴィンチの作品だけだろう。そして彼の進化は肖像画の世界に留まることなく、他方面でも時代を牽引していったのである。

6 ダ・ヴィンチの絵画と解剖図の共通点

二〇世紀初頭のドイツ医学界で、近代解剖学の祖はダ・ヴィンチかヴェサリウスかを問う議論があった。その結果ははっきりとはわからないが、現在の評価ではヴェサリウスに軍配が上がっている。

ダ・ヴィンチは解剖図の制作に二〇年を費やしたが、結局その作品群をまとめて出版することはなかった。一方のヴェサリウスは、ガレノス以来の旧説を覆した解剖図を『ファブリカ』として世に出した功績が高く評価されている。しかし『ファブリカ』の解剖図を実際に描いたのはティツィアーノの弟子であり、ヴェサリウス本人ではない。その点ダ・ヴィンチは、自らの手で解剖を行うのと同時に解剖図も自分で描いている。従って解剖学の祖はヴェサリウスでも、近代解剖図を創り上げたのはまちがいなくダ・ヴィンチなのである。

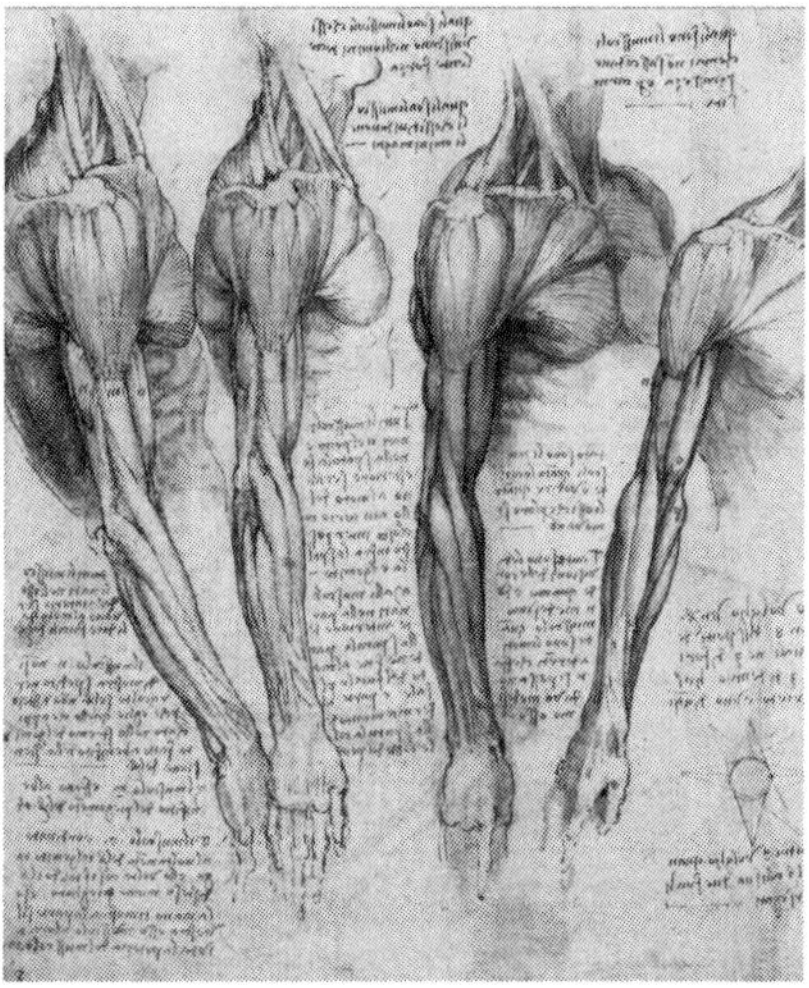
展開図になっているダ・ヴィンチの解剖図

それまでの解剖図といえば、図としての体裁すら整っていなかった。そんな解剖図を歴史上初めて図法として確立したのがダ・ヴィンチだ。この業績において彼を超える解剖学者はいない。また彼の作図に対する意識の高さも他を圧倒していた。

作図の本来の目的は、建築図面のように平面から立体を再現することにある。立体を意識していない図など図として何の役にも立たない。それは解剖図でも同じことで、ダ・ヴィンチ以前の解剖図は立体の再現など微塵も意識していない。現在のようにCGで立体が表現できるようになるまで、この傾向は変わっていなかったのだ。

そもそも解剖とは死体を切り分けていく作業である。しかし解剖の目的のなかに、切り分けたパーツを元の状態に戻す作業など全く想定されていない。バラバラにして終わりだ。だから作図の段階でも、図としてもっとも大切なはずの立体を再現して見せる意識が薄い。

私は学生のとき、福島の中付《なかつけ》鶩者《どちゃ》の習俗を集めた資料作りで、民具の実測図を描いたことがある。そこではわらじですら五面を費やした。この実測図を見れば、だれでもわらじを再現できるようにするためである。それなのに人の命を扱う解剖図において、表面から見た一面だけ描いておしまいでは図としてあまりにお粗末だ。これは現在市販されている大半の解剖図でも変わっていない。脈管系などはどこがどうつながっているのか全くわからない。まるで駅構内の案内図のように、すでにわかっている人にしかわからない図になっているのだ。

その点、ダ・ヴィンチの解剖図はちがう。五〇〇年も昔の技術でありながら、正面・側面・断面を描き分けて見せることで、見事に図としての機能を果たしている。さらに透視図法などの遠近法の採用に留まらず、短縮法まで駆使してより緻密に立体を再現しようと試みている。

彼はその手記のなかでも、「もし解剖で人間の細部を知りたければ、人体をさまざまな方面から眺め、また上下、左右、背後からも観察し、さらに回転させて各肢体の起始部をきわめなくてはならない」と説いている。

解剖図におけるこれらの表現は、『モナ・リザ』『サルバトール・ムンディ』『イザベラ・デステの肖像』『白貂を抱く貴婦人』『美しき姫君』の連作と同じ手法である。

また彼の解剖図の一部に八角星形が描きこまれていることにも意味がある。この八角星形は、

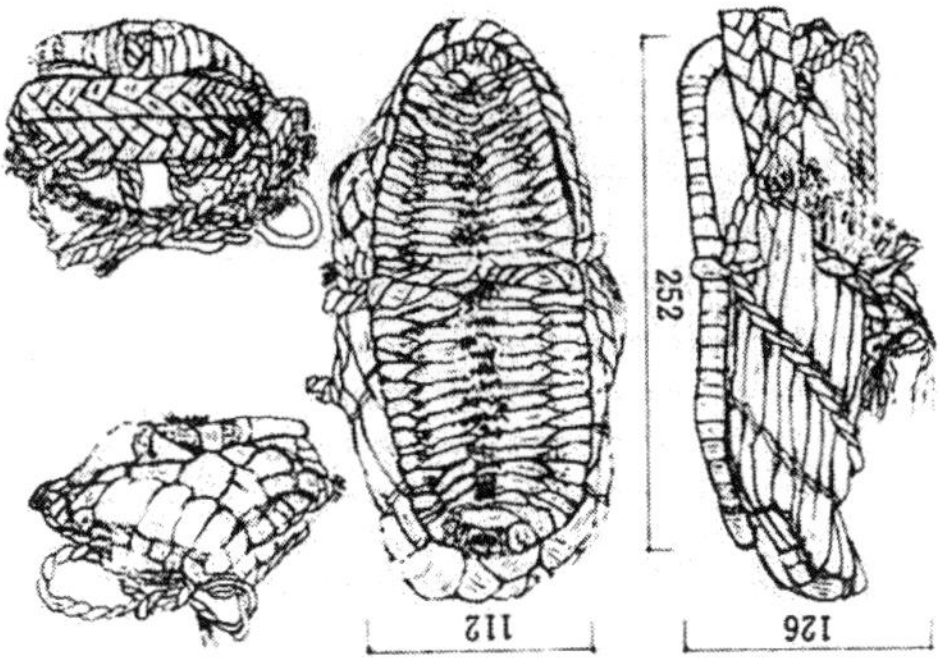

オソフキワラジ

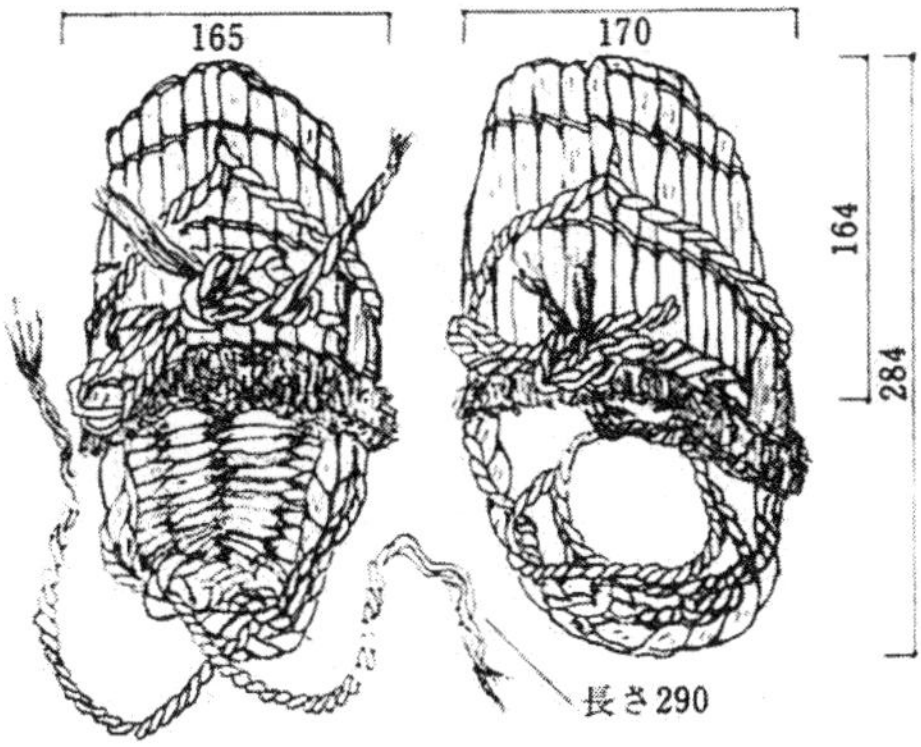

中付駑者 民具実測図

民具実測図とは、武蔵野美術大学名誉教授の相沢韶男氏（1943年-）が建築の図法を元に考案したもの。現在では民俗学博物館などでも一般的な図法として採用されている。

八角星形

体を四五度ずつ八回転させることで三六〇度の立体を表現することを意味している。図によってはさらに細分化して二二・五度ずつ回転させて描いたものまであった。つまり彼の作品は、平面であっても立体以上に対象を正確に捉えて再現している。そしてこれが、「彫刻より絵画のほうが立体を表現する上で優れている」と彼が力説する根拠でもある。そんなダ・ヴィンチの作品だからこそ、そこに描き込まれた「アシンメトリ現象」は、確かな資料として見ることができるのだ。

7　ボルジア家の毒薬の正体

私にとってダ・ヴィンチ作品でもっとも興味深いのは『チェーザレ・ボルジアの肖像』だ。この作品にははっきりとした「アシンメトリ現象」が読み取れる。チェーザレの小さくなった左目、こけた左頬、左に傾いた鼻、左に引き上げられた口角、右より高く描かれた左の肩は、「アシンメトリ現象」の見本そのものだ。

この肖像はスケッチ（素描）なので、対象を正確に写し取った段階だ。つまりまだ修正は加えられていないので、ダ・ヴィンチが目にした姿そのままだと考えてよい。そこにこれほど明確に「アシンメトリ現象」の特徴が現れていることは、歴史的な資料としても価値がある。

ではチェーザレ・ボルジアの体をこれほど左右非対称な形にしたのは、いったい何だったのだろう。

マキャベリの『君主論』に書かれているように、この時代は権力闘争の真っ只中であった。毒薬による暗殺なども頻繁に行われていたという。チェーザレによる毒殺の話も有名で、『ボルジア家の毒薬』と題した映画にまでなったほどだ。レイチェル・カーソンもその著書『沈黙の春』のなかで、「毒を盛られる危険性があるからボルジア家の食客にはなりたくない」と語っている。そのボルジア家の毒薬として名高いカンタレラは、チョウセンアサガオに含まれるアルカロイドやヒ素だったらしい。それらはいずれも人体に「アシンメトリ現象」を作り出す原因となる物質だ。

また水銀の存在も疑わしい。当時はコンスタンティノープルがオスマン帝国の手に落ちて、ヨーロッパに最先端のアラビア医学が流入し、薬の開発が盛んになっていた。また大航海時代の幕開けによってヨーロッパ中に梅毒が広がった。その治療薬として水銀の使用も増えていたのだ。あのイザベラ・デステが歯のホワイトニングのために水銀を調合した薬を使っていた記録まである。

もちろん現在なら水銀が人体に有毒であることは常識だ。しかし当時は医化学の祖といわれたパラケルスス（一四九三―一五四一年）の影響が大きかった。彼は身体を構成する要素として硫黄・水銀・塩の三つを挙げ、水銀が治療薬になると考えていた。そのため裕福な貴族はそういった薬をありがたがって服用していた可能性もある。その結果、肖像画になるほどの人物に限って体に「アシンメトリ現象」が現れていたのかもしれない。

ダ・ヴィンチはその生涯において、膨大な量の手記を遺したことで知られている。日本では、その一部を杉浦明平が翻訳した『レオナルド・ダ・ヴィンチの手記』が有名だ。その手記には絵画についてはいうまでもなく科学から人生に至るまで、さまざまな分野についての論考が事細かに書き込まれている。そのなかには健康法について記したものもある。

彼は人体の解剖はしていたが、病気治療などの医学には興味を示さなかった。そればかりか医者のことを命の破壊者と呼ぶほど忌避していたようだ。しかし体のことに無関心だったわけではなく、健康についても一家言をもっていた。時代背景を知るうえでも参考になるので、彼の手記から健康法について書かれた部分を見てみよう。

君もし健康たろうと欲せば次の規則をまもりたまえ。
食いたくないのに食うなかれ、軽く食べよ。

よく噛め、摂取するものはじゅうぶん煮て、料理はかんたんに。
薬を飲むものは療法をあやまるもの。
立腹をやめて、淀んだ空気をさけよ、食卓をはなれたときは、姿勢を正しくしたまえ。
昼間うたたねしないように。
酒は適度に、少しずつ何回も。
食事をはずさず、また空腹をかかえているなかれ。
便所は待つな、ためらうな。
体操するなら動きを少なく。
腹を仰向け、頭を下げているな、夜は布団をよく着るよう。
頭は休め心は爽快にしていること。
肉欲をさけて食養生をまもれ。

いかがだろうか。残念ながらさすが天才ダ・ヴィンチと思わせるような内容は一つもない。至って月並みだ。これは貝原益軒の『養生訓』だといわれてもわからないだろう。
実はこれらの記述はダ・ヴィンチ本人が考えたものではない。彼の蔵書のなかの『サレルノ養生訓』と『佳き生活と健康』からの引用が主となっている。「君もし健康たろうと欲せば」

の一文も、サレルノ学派の医師団が当時のイギリス国王に書き送ったものと全く同じである。これらの本はルネサンス期の文化人たちに広く愛読されており、ダ・ヴィンチもその一人だったのだ。

彼の生きた時代は近代科学の幕が開けたばかりで、まだまだ医学は古代を引きずっていた。当時の医療は病気治療の役に立たなかっただけでなく、逆に水銀治療のように病人を増やしていた可能性も高い。ダ・ヴィンチの作品に「アシンメトリ現象」の表現が多いのは、彼も左右非対称な体に何か異常を感じ取っていたからなのかもしれない。

8 ダ・ヴィンチの「ペルケ、ペルケ」と鏡文字の謎

歴史に名を残した偉人のなかでも、ダ・ヴィンチほど謎の多い人物はいない。二〇〇六年に公開されて世界的に大ヒットした映画『ダ・ヴィンチ・コード』では、マグダラのマリアや黄金分割などをモチーフとして、彼の絵画にまつわる謎解きがテーマとなっていた。彼の代表作『モナ・リザ』の謎めいた微笑も人の心を惹きつけて止まない。いつの時代も秘められた謎ほど魅惑的なものはないのだ。

作家の塩野七生は著書のなかで、ダ・ヴィンチくらい「なぜ」で生き通した人もいなかった

と語っている。そして彼が、「ペルケ、ペルケ、ペルケ」とつぶやきながら、部屋のなかを行ったり来たりしている姿を想像していた。ペルケ（perche）とはイタリア語の「なぜ」である。ダ・ヴィンチが「なぜ」と問い続けたのは、彼が論理的な思考をしていたからだ。

思えば私も「アシンメトリ現象」を発見した瞬間から「なぜ」の連続だった。やっと答えが見つかったと思ったら、またすぐに次の「なぜ」が浮かぶ。まるで疑問と答えが永久に連鎖しているかのようだった。そしてこの謎解きにはかれこれ二五年以上も没頭してきた。

だが最近になってやっとパズルの最終ピースが見つかったおかげで「アシンメトリ現象」の全体像が明らかになった。それと同時に『モナ・リザ』に浮かぶ微笑みの謎まで解けてしまったのである。

日本人で初めてルネサンスを理解したのは夏目漱石だといわれる。その漱石をして、「原始以降この謎を描き得たものはダ・ヴィンチだけである。この謎を解き得たものは一人もない」とまでいわしめたのが、あの『モナ・リザ』だった。しかしこの表情の謎はダ・ヴィンチが意図したわけではなかった。彼は『モナ・リザ』のモデルに現れていた「アシンメトリ現象」を正確に再現しただけで、「アシンメトリ現象」の特徴を絵画でリアルに再現すると、みな『モナ・リザ』のように意味ありげな表情になってしまうのだ。

さらに「アシンメトリ現象」を介して左右に対する洞察が深まると、ダ・ヴィンチの絵画にはこれまでだれも気づかなかった謎がもう一つ存在していることがわかった。その謎を解く鍵はダ・ヴィンチが書いた鏡文字に隠されていたのである。

鏡文字とは鏡に映したように左右が反転した文字のことだ。ダ・ヴィンチはなぜ鏡文字を使っていたのか。その理由は明らかではない。彼が左利きだったからだとか脳に障害があったからだともいわれる。しかし私にはそんな単純な理由だったとは思えない。彼の卓越した能力からすれば、意識的に鏡文字を使っていたことは明らかだ。

ちょうど彼が生まれたころ、グーテンベルクによって活版印刷が発明された。活版印刷は版画と同じで文字は鏡に映したように反転する。印刷物を目にした幼いダ・ヴィンチは、鏡の国のアリスのようにあべこべの世界を想像していたのかもしれない。

彼の膨大な量の手記はそのほとんどが鏡文字で書かれている。鏡文字そのものに対する記述はないが、鏡について書かれたものはいくつか残っている。そこには「絵画は平面鏡に映した姿と同じであるべきだ」と書かれている。それならダ・ヴィンチの絵画も、鏡文字と同じように左右が反転しているのだろうか。

もちろん自画像以外で、絵画の対象をわざわざ鏡に映しながら描いていたとは考えにくい。鏡文字は、彼の絵画は鏡に映したように正確だと主張するために、便宜上使われていただけかもしれない。ダ・ヴィンチならそういう理由まで考えられる。

だがこれで鏡文字の説明が終わるわけではない。鏡文字には、他にもダ・ヴィンチの計算され尽くした意図が潜んでいた。

中世美術史が専門の馬杉宗夫先生からいただいたご著書『黒い聖母と悪魔の謎』によれば、中世からルネサンスに移行する際、絵画表現の主体は逆遠近法から線遠近法へと変化したのである。

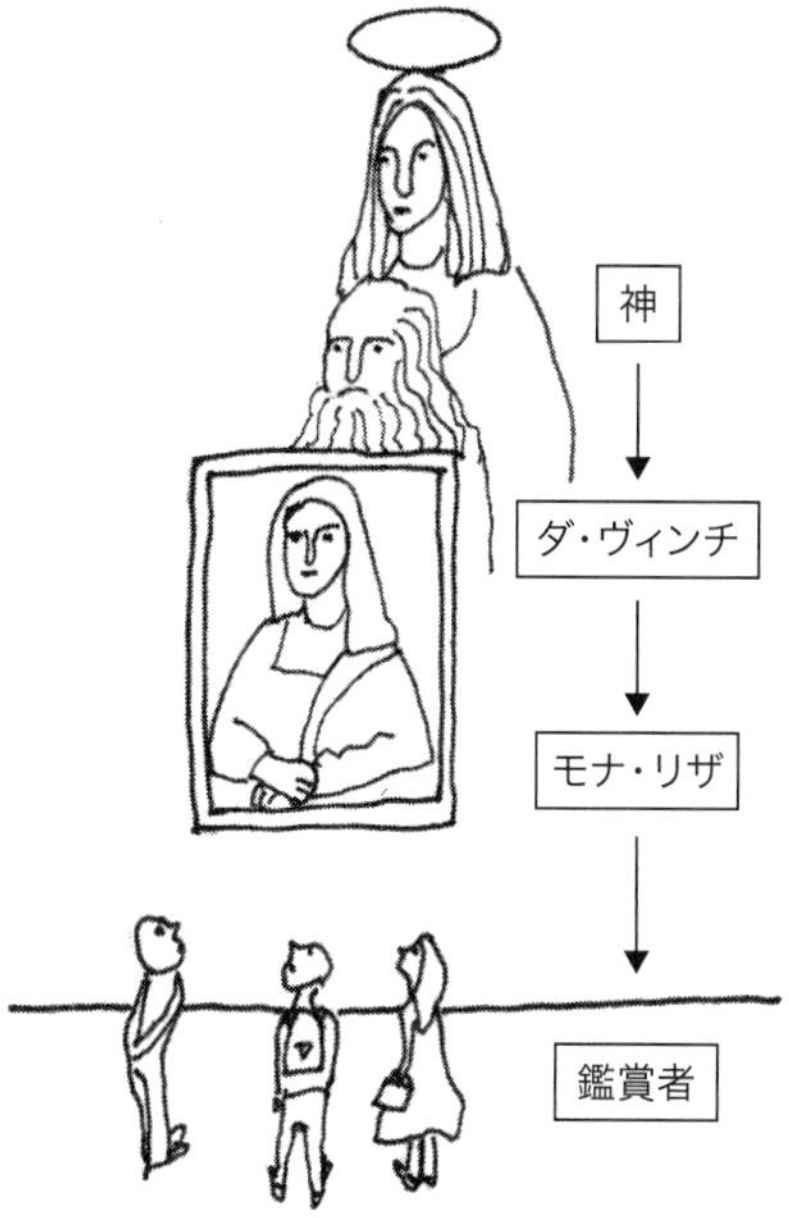

線遠近法では、写真に写した風景のように描き手の目に近いものを大きく描き、遠ざかるにつれて小さく描く。また描き手の立ち位置は、カメラでの撮影時と同じように被写体と向き合うことになる。
一方の逆遠近法では、描き手の目に近いものを小さくし、目から遠ざかるにつれて大きく描く。また描き手の視点は絵の内側に入り込んで鑑賞者と対

峙することになる。その結果、逆遠近法ではダ・ヴィンチの鏡文字のように左右が反転するのである。

ルネサンス期以前の中世までは、教会の祭壇に描かれたイエス・キリスト像は全て逆遠近法で描かれていた。例えば逆遠近法で『モナ・リザ』を見るとき、絵のなかのモナ・リザは鑑賞者であるわれわれを見ている。つまり『モナ・リザ』の前に立てば、われわれは絵のなかのモナ・リザからじっと見られているのである。そのモナ・リザの目を通してダ・ヴィンチがわれわれを見ている。そしてさらにダ・ヴィンチの目の向こうには、神の存在まで感じられるのだ。

当時の絵画のキリスト像はあくまでも信仰の対象であって、現代人が考えるような美術鑑賞の対象ではない。例え絵画として描かれた姿であっても、当時の人々にとってはそこに本物のイエス・キリストがいるのだ。従ってわれわれ人間が神を見るのではなく、神が人間を見ているることになる。それこそが、あの『フランダースの犬』のネロ少年がルーベンスの絵を前にして神に出会った瞬間なのである。

9　信仰を超越したダ・ヴィンチの挑戦と山水画

現在は写真に写った風景が正しい遠近法だと考える人が多い。ところが遠近法など知らない幼児に絵を描かせると、視点を自在に操って絵画のなかに独自の空間を作ってみせる。この幼児の絵画のように作者が見たいものを自由に表現するのが逆遠近法の目的だ。後にピカソが逆遠近法を使って自由な視点でキュービズム運動を展開したのは有名である。逆遠近法では、遠近の操作よりも作者の視点の移動のほうが重要なのだ。

実はキュービズム運動よりはるか昔に、視点の移動を最大のテーマとした絵画のジャンルが確立されていた。それが中国の山水画である。雪舟の作品などを通して、山水画は日本でもなじみ深い存在だろう。ところが山水画には独自の見方があることまではあまり知られていない。山水画を西洋の風景画と同じような感覚で眺めていたのでは、その絵の価値はわからないのである。

私たちは遠近法で描かれた風景画を見るとき、作者が見た景色と同じ視点で絵を見ることになる。その視点は写真のように固定されていて動くことはない。そこから視点を変えて別なアングルから景色を見ることもできない。ところが山水画では、鑑賞者は作者と共に画面のなかの風景に入り込むことが想定されている。そして作者に絵のなかを案内されながら、自在に視点を変えて幽玄の世界に遊ぶのである。これは子どもが自分で描いた絵のなかに入り込んで、勝手にものがたりを作り出す情景に似ている。

片や西洋絵画を観賞する際、私たちは色彩や形、表現方法などといった美術的要素だけに注目する。しかし仏像が美術の対象ではなく信仰の対象であるように、西洋絵画とはキリスト教の信仰を具現化したものだ。つまり西洋絵画の歴史とは各時代における聖書の解釈の変遷であり、それを知らなければ真の意味で西洋絵画を理解することができない。これと同様のことが山水画にも当てはまるのだ。

日本人の多くは枯山水などのイメージから、山水画は禅宗のものだと思っている。だが本来の山水画は道教思想の自然観をもとにして描かれている。そこにはキリスト教美術である西洋絵画とは全く異質な美学が存在する。そのため道教の何たるかを知らなければ、山水画に描かれた世界を理解することもできない。

ではここで改めて『モナ・リザ』の背景を見てみよう。日本人の感覚なら、これが山水画のイメージと結びついてもふしぎではない。しかし時代はルネサンスであるから、まさか東洋の文化が西洋文化に入り込んでいるとは思わない。ましてルネサンスを代表する『モナ・リザ』に、山水画が影響していることなどあり得ないと考えてしまう。われわれは文明開化以来、文化は高いほうから低いほうへと移動するもの、西洋の文化は東洋文化よりも格が上だと頭にたたきこまれてきたからである。

ところが実際には中世ヨーロッパは文化が停滞していた。そこで自分たちよりも進んだ東洋文化に対抗するため、古代ギリシア・ローマ時代の優れた文化に回帰を試みたのがルネサンスなのだ。

もちろんダ・ヴィンチが山水画を見た記録はない。しかし記録がないからといって、彼が見なかったという結論にはならない。彼と同じイタリア人の旅行家のマルコ・ポーロ（一二五四―一三二四年）が『東方見聞録』で東洋を紹介してから一〇〇年以上も経っていた。またマルコ・ポーロと同時代のジョットやシモーネですらすでに中国の文字や模様を絵画に描き込んでいたのである。だからダ・ヴィンチが山水画の存在を知らないと考えるほうがおかしいだろう。

ただしこの時代の西洋絵画にはジャンルとしての風景画はなかった。従って人物画の背景としての風景しかない。しかも背景の表現は、神の世界と人間界との二つのパターンに分けられていた。もちろん神の世界は人間には知りようがないので、金色や一色で塗り込めるだけで他には何も描かれていない。一方で人間界の背景はこのころから遠近法で描かれるようになっていた。そこでダ・ヴィンチは新たな空間表現として、山水画的な描法を背景に取り入れて見せた。それがわかるのは『モナ・リザ』の背景が遠近法に則っていないからである。

『モナ・リザ』の背景では、遠近法の基準となるはずの地平線が画面の右と左では連続していない。遠近法を知り尽くした彼が初歩的なミスなどするはずがないから、この描写はダ・ヴィンチが意図的に視点を替えたことを物語っている。

またそこには切り立った岩山や曲がりくねった道や川、さらに川にかかる橋などの、山水画のアイテムが散りばめられている。これらを山水画といわずして何といおう。

彼の描いた風景は実際どこの景色なのかはわかっていない。これも『モナ・リザ』にまつわるミステリーの一つだとされている。しかしこの風景が山水の世界だとしたらミステリーでもなんでもない。視点を一点に固定した遠近法と、視点を自在に変化させる山水画とでは、同じ風景を描いても全く別なものになるのだ。

遠近法では数学的な現実空間以上の表現はできない。しかし山水画であれば絵画の小さな画面のなかに無限の空間をイメージさせることができる。その描法にダ・ヴィンチが惹かれないはずがない。そのため『聖アンナと聖母子』『聖ヒエロニスム』『岩窟の聖母』『カーネーションの聖母』などの背景にも、山水画的描法を取り入れている。そして彼のオリジナルとされる「スフマート」と呼ばれる輪郭線をぼかす手法も、山水画の描法そのものなのである。

10 『最後の晩餐』に隠されたユダの秘密

西洋美術史を貫く最大のテーマは遠近法による空間把握の確立である。その分岐点となったのが中世からルネサンスにかけての時代であり、そこで歴史的変化に立ち会った人物がダ・ヴィンチだったのだ。ダ・ヴィンチの絵画は、表向きは線遠近法で描かれているように見える。

だが意識のなかで彼の視点を画面のなかに入り込ませてみると逆遠近法になっている。

例えば彼の代表作の一つである『最後の晩餐』は一点透視図法で描かれている。一点透視図法とは線遠近法の一種で、水平線上にある消失点に向かって遠近を表現した図法である。その『最後の晩餐』の水平線は、中央に座るイエス・キリストの目の高さになっているのだ。

ではなぜダ・ヴィンチは水平線をイエスの目の高さに合わせたのか。一点透視図法で自画像を描くとしたら、水平線は必ず作者の目の高さになる。試しに海をバックにして自分の顔を鏡に映してみるとよい。鏡を垂直に立てれば、そこに映った水平線は必ず自分の目の高さと同じになっているのがわかるだろう。

ルネサンスを代表する画家ラファエロが一点透視図法で描いた『アテネの学堂』でも、水平線は画面の両脇に描き込んだ彼自身の目の高さに設定されている。すると『最後の晩餐』に描かれたイエスの視点は、鏡に映して描いた自画像と同じだということになる。ダ・ヴィンチが水平線をイエスの目の高さに設定した理由もここにあったのだ。

彼はこの作品は自画像と同じように左右が反転していることを伝えたかったのだろうか。そう仮定してみると初めて見えてくるものがある。

従来のキリスト教的な左右の考え方であれば、『最後の晩餐』ではイエスから見た右側が天国で左側が地獄となる。イエスを裏切ったイスカリオテのユダは左利きだったはずだが、ここ

ダ・ヴィンチの『最後の晩餐』を左右反転してみると

に描かれているユダはイエスの右側に座り、銀貨の入った袋を右手で持っているのだ。

ダ・ヴィンチはこの作品を描くに当たって、ドメニコ・ギルランダイオ（一四四九―九四年）とアンドレア・デル・カスターニョ（一四二一年頃―五七年）の『最後の晩餐』を参考にしたといわれている。両者ともイエスにもたれかかるヨハネの姿が画面の右側に描かれている。しかしダ・ヴィンチは逆にヨハネを画面の左側に配しているのである。

ではここでダ・ヴィンチの視点を画面のなかのイエスの視点に移動させてみよう。すると鏡に映して描いた自画像のように左右が反転する。すなわちユダはイエスの左側へと移動し、左手で袋を持っていることになる。そしてこの左右の反転によって、絵の消失点もイエスの右目から左目へと移ることになる。これはダ・ヴィンチが明確に意図した結果であり、この作品は線遠近法のなかに逆遠近法の絵が入れ子になった二重構造をとっていたのだ。

逆遠近法と線遠近法とは、神が人間を見る視点と人間が神を見る視点との対比に置き換えられる。そのどちらの視点をとるかによって、絵の解釈も一八〇度ちがうものになる。

中世からルネサンスへと移り変わったこの時代は、ちょうど人文主義が台頭し始め、教会の支配から脱教会へと向かっていたころでもある。自画像が描かれ始めたのもこの時代だ。この新たな時代の流れのなかで、ダ・ヴィンチは神の視点を人間の視点に置き換えることで、絵画に独自の可能性を展開してみせた。このような次元を超越した離れ業は、遠近法をきわめ尽くしたダ・ヴィンチ以外には考えつかないことだろう。

おりしも一五世紀は、ヴェネチアでやっと現代と同じような鏡が作られ始めた時代でもある。ガラスの裏に水銀を塗った当時の鏡は、ごく貴重な存在で貴族の装飾品でもあった。その輝きに魅せられたダ・ヴィンチは、絵画史上初めて鏡の持つ光学的な要素を絵画に取り入れることに成功したのである。

このように「アシンメトリ現象」を基準にしてダ・ヴィンチ作品を俯瞰することで、これまで見えていなかった彼の思考まで追体験することができた。そしてルネサンス以降の美術は、さらに左右の非対称性を追求したマニエリスムへと向かっていったのである。

第6章

ミケランジェロのダヴィデ像に隠された真実

ダヴィデ像（ミケランジェロ・ブオナローティ）
ダ・ヴィンチと同じルネサンス期に活躍したミケランジェロ。「万能の人」と呼ばれることも多い彼が、20代で制作した大理石の彫刻。「アシンメトリ現象」特有の左の起立筋の盛り上がりを表現した立体造形物としては貴重な存在である。

1　左右非対称に造られたダヴィデ像

ルネサンスを代表する画家といえばダ・ヴィンチ、彫刻家といえばミケランジェロである。そのミケランジェロ・ブオナローティ（一四七五―一五六四年）は、古代ギリシア以来最大の彫刻家として認知されている。しかし彼が描いたシスティーナ礼拝堂の壁画と天井画があまりにも有名なため、彼の彫刻はいささか影が薄い。だが確かに彼の彫刻は絵画よりもはるかにレベルが高いものであり、その偉才を発揮した彫刻の筆頭が、四メートルを超す大理石に彫られた巨大なダヴィデ像なのである。

ある雑誌にこのダヴィデ像に関する記事が載っていた。イタリアの研究者らがダヴィデ像を３Ｄデータで調べてみたところ、右の脊柱起立筋が欠けているのを発見したというのだ。そして右の起立筋が欠如したのは、材料となる大理石が足りなかったからだろうと結論づけていた。そこでは、この医師たちの説を世紀の大発見のように報道していたため、この記事を読んだ人はそのまま信じてしまっただろう。

しかしこの発見はまちがっている。それでは新大陸をインドだと思い込んだコロンブスと同じである。ダヴィデ像の脊柱起立筋が左右非対称なのは右が欠如しているからではない。左側が隆起しているからなのだ。もしこの研究者たちが人体の「アシンメトリ現象」を知っていれば、三木成夫のように即座に左が隆起していると判断できたはずである。

さらに記事のなかには、ダヴィデ像の左目が斜視になっていることも大発見だと記されていた。「アシンメトリ現象」は左半身に数々の形態的変化を見せるが、左起立筋の隆起だけでなく、左目が斜視のようになるのも特徴の一つである。

ダヴィデ像には他にも左右非対称になっている表現が数多く見られる。左胸鎖乳突筋の緊張や太くなった左のウエスト、右に比べて左の尻が垂れているのもみな、ミロのヴィーナス同様、コントラポストによる形の変化ではない。全て「アシンメトリ現象」なのである。彼らは左右差を識別する基準をもっていないから、左が盛り上がっているのか右がへこんでいるのか判断がつかなかったのだ。

ゲーテは「感覚はあざむかない、あざむくのは判断だ」といった。研究者たちが起立筋の左右差に気づいたままではよかったのだ。しかし判断をまちがえた。まちがえただけならまだしも、材料の大理石の不足を理由にしたのはかなり無理がある。ミケランジェロほどの天才がそんな稚拙なミスを犯すわけがない。どこの素人の話なのだ。例え素人でも、右の大理石が足りなかったら左側を削って左右をそろえるぐらいのことはできる。

もちろんミケランジェロはダヴィデ像の起立筋を修正する必要など全くなかった。いくら何でも彼ほどの人間が、起立筋の左右差に気づかないはずがない。気づいていながら、左右非対称なモデルの姿をそのままの形で再現したかったのだ。そうでなければ最初から左右対称に彫ればすむ。

それではなぜ、彼はモデルのアシンメトリな姿を修正もせずに再現したのだろうか。その理由はわからない。だがそのころマニエリスム的な表現様式が始まっていたことが影響したのかもしれない。そこで少し、マニエリスムとは何であるかも説明しておこう。

2 「アシンメトリ現象」の再現がマニエリスムを生んだ

ミケランジェロが生きたルネサンスからバロックへの移行期に、マニエリスムという美術様式が生まれた。本来なら新しい美術様式の登場は、従来とはちがった思想や技術の表現様式として美術史に位置づけられるものである。

ところがマニエリスムといえばマンネリの語源になってしまうほど、様式としての新鮮味に欠けていた。実際どの美術史の説明を読んでもマニエリスムの明確な定義がされていない。それなのになぜかミケランジェロはマニエリスムの彫刻家に分類されることがあるのだ。

その理由が私には長い間、理解できずにいた。しかしジャンボローニャの彫刻『サビニの女

らせんの動きを強調したマニエリスム彫刻の代表作『サビニの女たちの略奪』
（ジャンボローニャ）

たちの略奪』を見ていたら、何か新たな感覚が舞い降りるようにして、私のなかでマニエリスムの美術的な位置づけが明確になった。そしてようやくミケランジェロの作品に対しても、マニエリスムの萌芽を感じられるようになったのである。

マニエリスムの代表作といわれる『サビニの女たちの略奪』は古代ローマの伝説を題材とし、三人の人物がらせん状に上昇する動きが表現されている。

従来の彫刻は、祭壇に祀られたイエス・キリスト像のように、ほとんどが正面から見ることを想定されていた。ところが『サビニの女たちの略奪』はらせんの動きが表現されているため、三六〇度どの角度からでも鑑賞することができる。つまりジャンボローニャは彫刻を「どの向きが正面か」という決めごとから解き放ってみせたのだ。

これはジャクソン・ポロック（一九一二―五六年 アメリカの画家）の登場によって、絵画に上下の決まりがなくなったことにも通じる。要するにらせんの動きを取り入れることで、彫刻を従来の左右対称で平面的な表現から、非対称な立体の世界へと変貌させたのがマニエリスム様式なのである。

またマニエリスム様式は、それまでの教会中心の中世的世界観からの解放によって出現したともいえる。このような状況はヘレニズムのころとも似ている。

かつてミケランジェロはヘレニズム美術に影響を受け、当時の最高傑作であるラオコーン像を模刻していた。ラオコーンは、苦痛のために体がよじれた激しい動きで表現されている。ところが発掘当初のこの像には右腕がなかった。そこでミケランジェロが考えて復元した右腕は、その後発見された右腕と形が一致していた。それほど彼は人体の動きを熟知していたのである。

そのラオコーンは左肩が極端に前に入り込んだ形になっている。すると右肩は後ろに大きく開く形になる。これは「アシンメトリ現象」の典型的な動きとなり、人体のらせんの形をより強調することになる。ミケランジェロはラオコーンのそのらせんの動きのなかに、彫刻表現の新たな可能性を見出したのである。

残念ながら彼には、ラオコーンと同時代の作品であるミロのヴィーナスを見る機会はなかった。だが彼のダヴィデ像は右脚を支脚にし、上半身を左にひねってヴィーナス像と同じようにらせんを描いたポーズになっている。これは偶然の一致でもコントラポストのせいでもない。ヴィーナス像同様、モデルの体に「アシンメトリ現象」が現れたときの動きを捉えた表現なのである。

人体に「アシンメトリ現象」が現れると、左右が非対称になるだけでなく上昇するらせんの動きを見せる。その「アシンメトリ現象」の特徴をそのまま写し取ると、意図したポーズ以上に躍動感のある立体的な人体を表現できる。そのことをミケランジェロは感覚的に知っていた。だからダヴィデ像の起立筋をあえて左右非対称なまま再現したのだ。それならば彼が「アシンメトリ現象」を表現してみせたことが、マニエリスム様式が様式として確立したきっかけになったのかもしれない。

だがこれだけでダヴィデ像の左起立筋の謎が解決したわけではない。そこにはより重大な問題が潜んでいたのである。

3　モデルの異変を感じとっていたミケランジェロ

ダヴィデ像の右の起立筋が欠損しているといって大騒ぎした研究者たちは、何を目的としてダヴィデ像を計測していたのだろうか。そのチームには医師もいたのだから、ダヴィデ像を調べる前に自分の患者たちの体の形に目を向けるべきだった。そこにはダヴィデ像と全く同じ形の起立筋をもった病人が大勢いる。しかもがんのような重大疾患の患者に、より多く確認できるはずだ。

私が初めて左脊柱起立筋の異常を見つけたのも、ある末期の肺がん患者の体だった。正確にはこの異常に気づいた後に肺がんが見つかったのである。

私はそれまで美術を学ぶためにたくさんの人体を観察してきた。だから顔の形と同様、人の体の形にもさまざまな特徴があることは知っていた。いや知っているつもりだった。ところがこれほど左右非対称な起立筋を見たのは、そのときが初めてだったのだ。

その左の起立筋は形だけでなく感触までちがっていた。触れると指を弾き返すような弾力がある。三木成夫はそれを防御反射と呼んでいたが、防御といっても本人には痛みなどの症状がないどころか、体が異常に張っている自覚すらなかった。

彫刻家は作品を造るときモデルを目で見るだけでなく、ときには手で触って形や質感を確かめる。ミケランジェロもモデルの起立筋に触って、その感触を確かめていたはずだ。触ったときの印象は触った本人にしかわからない。しかしあえて作品にその形を残すぐらいだから、その特殊な感触に驚いたのだろう。それはまちがいない。ただその形の意味まではわからなかったのだ。

私がその意味を知ったのは、他のがん患者たちの体にも同じ形と感触があるのを見つけたからだった。もちろんそれが全員に当てはまるわけではない。しかし左起立筋の異常はがん患者だけでなく、一見するとがんとは縁のない健康そうな人の体にもあった。がん患者の場合では、左起立筋の緊張が特にきわまってしこり状になっていたのだ。この事実を目にした私は何ともいえず恐ろしくなった。このしこりの存在が、今現在、体のどこかにがんがあるか、もしくは将来的にがんになるリスクがあることを示す前兆現象のように感じられたからだ。

そんなあるとき、テレビでこの現象を「がんの前兆」として放送する企画が持ち上がった。しかし当時の私は大騒ぎになるのが怖かった。そこで「病気の前兆」と表現するに留めた。ただしこの現象ががんの前兆であるという印象は今も否定できないでいる。

こんな話を聞けば、自分の起立筋が気になる人もいるだろう。調べてみたら左側が盛り上がっていてあわてる人もいるかもしれない。しかし「自分はがんだ」などと早とちりしないでいただきたい。

以前、ある大学で学生たちの左起立筋を調査してみたら、ほとんどの学生に大なり小なり起立筋の異常があった。逆に全く正常で左右対称な人はまず見当たらなかった。今までだれも気づかなかっただけで、この異常は驚くほどありふれた現象なのだ。

それではなぜこんな異常が体に現れるのか。またどのようなしくみでがんなどの疾患と結びついているのか。この疑問にたどりつく手がかりとなったのが、人体の対称軸という美術家としての視点だったのである。

4　なぜダヴィデ像の正中線はズレているのか

あるときカンフー映画を観ていたら、アクションが売りの主役俳優の首が正中線から大きくズレているのに気がついた。あれではさぞかしつらいだろう。そんなことを映画関係の人に話したら、現在の彼は原因不明の疾患によって車椅子の生活になっているという。

正中線とは左右の中心となる線のことだ。従って体の正中線といえば脊柱（背骨）である。本来ならその脊柱を形作る椎骨の一つ一つの関節が呼応し合って、どんなポーズをとってもなだらかな線になる。ところがダヴィデ像には、正中線のなだらかさが消えている部分が何か所もある。これは医学的に見れば椎間関節の異常であり、美術的に見ればデッサンの狂いなのである。

しかしミケランジェロのデッサンが狂っているわけがない。これはダヴィデ像のモデルの形が正常ではなかっただけなのだ。仮にモデルの体の形がおかしくても、素人がそのまま表現すればデッサンが狂った稚拙な表現に見えてしまうだろう。しかしダヴィデ像を見てデッサンが狂っているなどとはだれも思わない。それほどミケランジェロの技量は卓越していたのである。

「アシンメトリ現象」では体の左半身が異常な形になる。しかし例え異常でも不自然にはならない。異常であっても自然の摂理に則った形だからである。これが不自然であれば、だれもが何かおかしいと感じるはずだ。「アシンメトリ現象」はあくまでも自然な異常性であるがゆえに、ほとんどの人が今まで気づかなかったのだ。

人間の体の形には正常には正常なりの、異常には異常なりの法則が存在する。その法則を知らずに造られた作品がいかに多いことだろう。

以前、美大で教鞭をとっていた民俗学の教授が、彫刻科の学生から作品の批評を頼まれた。先生はその作品を見た途端、「確か起立筋は左が盛り上がると聞いていたが、君のは逆になっているからおかしいのではないか」と指摘した。専門外の先生からいきなり意外な指摘を受けて、その学生もさぞかし面食らったことだろう。

美術家だけではない。人体の専門家であるはずの医師たちも、人間の体は左右対称が基本だと思っている。もちろん本来ならその通りなのだが、左右対称とは対称軸を基準としたときの判断だ。しかし肝心の正中線がズレていたら、その対称軸を左右の基準にはできなくなってしまう。

絵の描き方の一つであるクロッキーでは、動き回っている人物をすばやく描写する。そのとき人体の正中線である背骨の動きを瞬時に読み取る必要がある。背骨の動きさえ捉えれば、動きのある人体を正確に写すことができるからだ。

しかしたいていの美術家は背骨にズレがあることなど全く想定していない。背骨はまっすぐなもの、いつも正中に位置するものだと思い込んで描写の基準にしている。まさかそれが基準として正確でないとは思いもしない。そのため目の前の対象が左右非対称であっても、無意識のうちに左右対称に修正して描いてしまう。彼らはモデルの体を見ているようでいて、実際には全く見えていないのである。

ところがここで、美大の学生に向かって背骨にはズレがあることを説明してみる。そして手では触れないようにして服の上から背骨のラインを指先で追ってみるように促す。するとみな驚くほど正確にズレを見つけられるようになる。これは美大生でなくても訓練すればだれにでもできる。もちろん見るだけでなく指で直接なぞってもわかる。

自分のことなら、風呂上がりにでも鏡に体を映してみるとよい。体の前面の正中線が何か所も大きくズレていることに気づく人もいるだろう。つまり背骨がズレると、正中線は体の前でも後でもズレることになる。イメージとしては体幹がびんのふたをひねったような形になっている。この背骨のズレも「アシンメトリ現象」の特徴の一つなのである。

では背骨はなぜズレるのか。まっすぐであるべき背骨がズレると、われわれの体にどのような影響を及ぼすのだろう。またズレてしまった背骨が正しい位置に戻ることはあるのだろうか。

実はかつてこの現象の解消に真正面から取り組んだ医師がいた。それが「医学の父」と呼ばれる古代ギリシアのヒポクラテスなのである。

医学編

「アシンメトリ現象」から見た医学

第7章

ヒポクラテスの遺言

デューラー 28 歳の自画像（アルブレヒト・デューラー）

画家であり数学者でもあったデューラー最後の自画像。1500 年当時はこのように正面を向いて鑑賞者と対峙する自画像はきわめて異例だった。美術史家による解説では左右対称であることを強調される作品だが、実際には彼の顔は非対称である。左目が小さくなり、鼻も左に曲がっていて「アシンメトリ現象」が明確に表現されている。

1　『ヒポクラテス全集』に遺された「アシンメトリ現象」

「芸術は長く人生は短い」そういったのはヒポクラテスだった。これは芸術を志す者の心を打つ言葉として名高い。芸術のもつ永続性と対比することで、人の命のはかなさがきわだつ表現だ。どこか松尾芭蕉が詠んだ「旅に病んで夢は枯野をかけ廻る」にも似て、日本人の感性にも強く訴えるものがある。

この言葉は、ヒポクラテスを研究していたゲーテが『ファウスト』の登場人物ワグネルに語らせたセリフであった。この秦豊吉の訳が有名だが、森鷗外の訳では「学芸はとこしえにして我等の生は短し」となっている。しかし元は『ヒポクラテス全集』の箴言第一章のなかの記述であり、本来は芸術でも学芸でもなく医術に対して語られた言葉だったのだ。

『ヒポクラテス全集』は、紀元前三世紀ごろにアレキサンドリアの学者たちがプトレマイオス王家から委嘱されて編纂したものである。全集としてヒポクラテスの名を冠してはいても、実際にはさまざまな著者が入り混じっている。署名のある記述は一つもないので、全てヒポクラテスの著作ではない可能性すらあるという。

現在、『ヒポクラテス全集』の日本語訳には、今裕訳の一九七八年版と大槻真一郎他訳の一九八五年版の二つが存在している。ここでは両書を比較したうえで後者の大槻版を参考に、この歴史上最古の医学資料から「アシンメトリ現象」の記述を拾ってみたい。

季肋部は痛みがなくて柔らかく、右側も左側も一様であるのがもっともよい。炎症をおこしていたり、痛みがあったり、強く張っていたり、右側が左側にくらべて変わった状態にあるのは、全て気をつけなければならない。(中略)

堅くて痛みをともなう季肋部の腫れは、それが季肋部全体に広がっている場合には、もっともわるい。その腫れが季肋部のどちらか一方の側にあるとすれば、左側にある場合のほうが危険が少ない。(「予後七」)

季肋部とは、上腹部の左右の肋骨弓下の部分である。ヒポクラテスはこの部分の腫れ方に左右差と規則性があることを認識していた。一部の研究者は、右側の腫れは虫垂炎についての言及だと考えている。それなら左側が腫れた場合はいったいどのような病態が想定されるだろうか。この文章では左側の腫れは危険が少ないといっているので、重大な疾患を指しているわけではない。

「アシンメトリ現象」の場合も左季肋部が腫れているように見えるが、さしあたってその部分に疾患はない。これらの共通点からすると、この記述が「アシンメトリ現象」の特徴に対する言及である可能性は高い。

背骨の椎骨が病気のために後方に引っ張られて湾曲した場合、この背中のこぶは大抵なおらない。(中略)脊椎骨が横に向かって左右どちらかに曲がる人もいる。このような症状は全て、もしくは大部分が、背骨の内側にできた結節のかたまりのためにおこるものである。

(「関節について 四一」)

脊柱は、健康な人の場合でもいろいろなふうに湾曲する。(中略)そのうえ、年をとったり苦痛が加わったりしても曲がる傾向がある。

(「関節について 四七」)

ここに書かれている背中の湾曲やこぶとは、いったいどのようなものを指しているのだろうか。話の内容からすると重大疾患によるものではない。そしてこの後には、背中の湾曲やこぶに対して器具を使った矯正方法の記述が続いている。同書の挿絵にある矯正方法から推測すると、激しい痛みのあるものではなさそうだ。その矯正方法の記述の最後でヒポクラテスは、自分が試した矯正方法が失敗だったことを正直に告白している。

以上の失敗を私は故意に書き記した。試してみてうまくいかなかったのが明らかになったことや、どういう理由でそれがうまくいかなかったのかということは、教訓としてよいものだからである。

（「関節について四七」）

ここに書かれている「背中の湾曲やこぶ」とは、「アシンメトリ現象」に見られる背骨のズレと左起立筋の盛り上がりとの関係を指していると考えられる。しかしこれが「アシンメトリ現象」であるなら、確かにこの方法ではうまくいくはずがない。

私も「アシンメトリ現象」の発見当初はこの盛り上がりを解消しようとしてさまざまな方法を試したが、押しても引いてもびくともしなかった。後にこの左起立筋の盛り上がりが背骨のズレと連動していることがわかったので、ようやく一つの解決方法にたどり着いた。

ところが左起立筋の盛り上がりの原因が背骨のズレであっても、そのズレを矯正するだけで消えてしまうほどしくみは単純ではない。従って彼の矯正がうまくいかなかったのも一度や二度のことではなかったと思う。何度挑戦してみてもダメだったのだろう。しかしそれまでにも、他の疾患の治療でうまくいかなかったことなどいくらでもあったはずだ。それなのになぜ、この矯正に関してだけは自分の失敗をさらけ出してまで教訓として残そうとしたのだろうか。

2　ヒポクラテスが後世に託した教訓

ヒポクラテスには師と目されている人物が二人いた。そのうちの一人がヘロディコス（前五世紀）である。ヘロディコスはいわゆる医師ではなく体育訓練の指導者だった。今でいうならオリンピック競技のトレーナーのような存在だろうか。彼は日常的に、競技者のケガの処置や健康管理などの医療的な役割も担っていたようだ。

ヒポクラテスがヘロディコスから学んだのも、創傷・脱臼・骨折・慢性関節疾患の療法であった。それらは医師が行う薬物療法とちがって徒手療法的なものだから、施術者の技術の上手・下手で結果が大きくちがってくる。

けれども左起立筋が盛り上がるほどの背骨のズレは、少々矯正の技術を磨いたからといって解消できるものではない。ヒポクラテスも悪戦苦闘した挙げ句、そこに限界を感じたのだろう。師であるヘロディコスは成功したのに、ヒポクラテスだけがうまくいかなかったわけでもないはずだ。彼の記述には、それでも何とかして治したい意気込みがにじみ出ている。

『ヒポクラテス全集』を通読してみると、個々の記述によって人体に対する観察力や洞察力にかなりのばらつきがあることがわかる。同じような話でも全く別な人が書いたと思われるものや、だれかからの聞き書きのような話も多い。しかし矯正がうまくいかなかった話は全集のなかできわめて異質だった。

小川政修の大著『西洋医学史』にも、『ヒポクラテス全集』の「関節について」の章はヒポクラテス本人の著述である可能性が高いと書かれている。やはり自分の失敗を記したこの一文こそがヒポクラテスの遺したものかもしれない。もちろん真偽は確かめようもない。しかしこの記述のおかげで、ヒポクラテスの時代にも人体の左右差に規則性があったことが確認できた意義は大きい。

またヒポクラテスほどの人物であれば、「アシンメトリ現象」の存在にも気づいていたのではないか。なかでも彼が記した「背中のこぶ」とは盛り上がった左起立筋のことであり、「アシンメトリ現象」のもっとも特徴的な形態なのである。彼はその重要性を強く認識していたからこそ、何としても治したかった。それなのに何度挑戦しても矯正は成功しなかったから書き残したのである。

そう考えると彼の遺言ともいえるこの失敗の告白は、彼から後世の医療者に差し出されたバトンのようにも見える。果たして今の医学はこのバトンを受け取ることができるだろうか。

3　ヒポクラテスはなぜ治せなかったのか

古代ギリシアにはゼウスを中心としたさまざまな神がいると考えられていた。神々にはそれぞれ専門分野があり、美はアフロディーテ（ヴィーナス）、芸術はアポロン、そして医術はアスクレピオスが担当していた。また医術だけでなくこの世の術の全てが神の世界のものだったので、神の世界から火を盗み出して人間に与えたプロメテウスは大神ゼウスの怒りを買った。ゼウスはプロメテウスを岩山にはりつけにし、ワシに肝臓を食わせる極刑に処しただけでなく、人間界に災いをもたらすために女性（パンドラ）を初めて作らせて地上に送り込んだ話は有名だ。

さらに死人を生き返らせた医神アスクレピオスは死者の国の支配者であるハデスを怒らせ、ゼウスに雷で焼き殺されて星になった。今でいうなら庶民のために良かれと思ってやった行為が、既得権者の逆鱗に触れて抹殺されるようなものだろう。そのアスクレピオスが左手に携えていた杖には神の使いであるヘビが巻きついていた。その杖は今では医学のシンボルとしてＷＨＯ（世界保健機構）のロゴにもなっている。

WHO（世界保健機構）のロゴ

そのアスクレピオスが治療をしていたエピダウロスの神殿は、紀元前四世紀に建てられたものだった。そこには多くの病人が集まって断食や沐浴をしたあと聖なる場所で眠り、神の来臨を待つ。そして夢のなかでアスクレピオスによる神癒を授かることを期待していた。当時は知の権化であるソクラテスでさえアスクレピオスを信奉していたという。

その後ヒポクラテスが登場して初めて、医療は論理性と実際的な治療へと変化していった。このことがヒポクラテスを医学の父と呼ぶゆえんである。しかし彼の時代の治療法は現代ほど多様なものではなかった。けがに対する外科的治療、薬草などによる薬物療法、あとは食餌療法に加えて徒手療法程度のものである。

なかでもヒポクラテスが書き残した失敗は徒手療法の結果だった。具体的な症状は不明だが、私は「アシンメトリ現象」によって生じた背骨のズレによる疾患だと考えている。背骨がズレると何らかの疾患の原因になることは、ヒポクラテスの時代から洋の東西を問わず広く浸透していたのだ。ところが現代の医学では投薬や外科的な治療が主体となって、徒手療法は重視されることがなくなった。そのため背骨のズレによる疾患もほとんど顧みられることがない。

ところが私は背骨のズレのもつ二つの規則性、つまり「背骨は左にしかズレない」ことと「背骨のズレには発痛作用と鎮痛作用がある」ことを発見した。これはヒポクラテスはもちろんのこと、だれにも知られていないことだった。そもそも人体のなかから規則性をもった現象を発見することは、医学だけでなく科学全般から見てももっとも重要なテーマなのである。それではなぜ背骨がズレるのか、そのしくみから考えてみたい。

4　背骨は左にしかズレない

古代ギリシアの時代から背骨のズレの存在は広く知られていた。今では背骨のズレは普通名詞といえるほど一般的である。しかしヒポクラテスが悪戦苦闘したズレの矯正方法は、現在でもほとんど進歩していない。なぜなら、背骨のズレには二つのメカニズムが隠されていることにだれも気づいていないからだ。

一般的な認識では、重い物を持ち上げたり転んだりして背骨に負荷がかかったときにズレると考えられている。これはズレの原因を外からの力に求めていることになる。しかし私はズレの原因は外から加えられた力ではなく、体の内側からの力だと考えている。そしてその力とは、左の起立筋が特異的に緊張する力のことなのである。

起立筋は正しくは脊柱起立筋といって、数ある背筋の総称だ。上は頭蓋から下は仙骨まで、脊柱骨のそれぞれにつながっている。それらの筋肉が働くことで体幹は回旋（上体を左右にひねる・回す）・側屈（上体を左右に倒す）・伸展（上体を後ろに反らす）の動きをする。

では、左の脊柱起立筋だけが盛り上がるのはどういう状態なのだろうか。筋肉は活動するときは緊張し、使わないときには弛緩するものだ。腕の筋肉なら、上腕二頭筋が緊張すると力こぶができ、弛緩するとこぶは消える。

すると左の脊柱起立筋がこぶのように盛り上がっているのは、筋肉が緊張した状態だと考えてよい。しかし上腕二頭筋とちがって、「アシンメトリ現象」の場合は本人が意図して力を入れているわけではない。自分の意思で力を抜くことはできないので、左の脊柱起立筋は常に緊張したままなのだ。ずっと力が抜けないのだから、「アシンメトリ現象」には激しい疲労感が伴うことも多い。また朝目覚めた瞬間から疲れを感じているのが一般的だ。これが三木成夫が診た学生たちの慢性疲労の状態なのである。

それでは緊張したままの左の脊柱起立筋は、何にその力を使い続けているのだろうか。先ほど説明した通り、脊柱起立筋の働きは回旋・側屈・伸展である。これらのうちもっとも「アシンメトリ現象」に関係しているのは回旋だろう。回旋には同側と反対側の回旋があり、脊柱起立筋が回旋筋として働く場合は、反対側回旋となる。すなわち左側の筋肉が働くとき、上体は右側に回旋するのである。

本来の回旋運動では、内腹斜筋や外腹斜筋の作用が大きい。しかし「アシンメトリ現象」による脊柱起立筋の回旋の場合は、上体を完全に回しきっているわけではない。この左脊柱起立筋による右への回旋が、「アシンメトリ現象」特有の、左右非対称な形を作り出しているのである。

さらに左脊柱起立筋が特異的に緊張すると、筋の付着部である椎骨を左から引っ張る力が生じる。すると椎骨が左に倒れ込む。これが私が背骨のズレと呼んでいる状態だ。ただしこれは脱臼でも亜脱臼でもない。もっと微小なズレであり、筋肉の引きつりによってわずかに椎骨が傾いているのである。

椎骨とは背骨を構成する二四個（頸椎七個、胸椎一二個、腰椎五個）の骨のことだ。「アシンメトリ現象」の場合、脊柱起立筋が緊張するのは左一側性であるから、これらの椎骨も左側にしかズレない。

ズレに外力が作用するものなら、椎骨は左右のどちらにでもズレるはずである。しかし実際には、事故などで外力が作用したと考えられる状況でも、椎骨は例外なく左にだけズレる。外力の作用はあくまでも補助的なきっかけに過ぎず、ズレる方向には影響しない。これが私の考えている背骨のズレのしくみである。

もしヒポクラテスが背骨のズレによる疾患に対して徒手療法を実施していたのなら、たまには劇的に治ることもあったはずだ。しかし背骨のズレる方向の規則性を認識していなければ、治癒率は半減する。また誤って逆方向に力を加えれば、治るどころか症状を悪化させていた可能性もある。しかも鎮痛作用が働くタイプの背骨のズレなら、彼の治療では決して治ることはなかっただろう。それがヒポクラテスの心残りだったのである。

5　背骨のズレによる発痛作用と鎮痛作用

そもそも脊柱起立筋はなぜ異常な緊張を起こすのだろうか。もちろん脊柱起立筋が通常の働きをしているときは、背骨がズレるようなことはない。しかし脊柱起立筋に何らかの理由でイレギュラーな緊張が起こると、筋肉が引きつって背骨がズレてしまうのだ。

三木成夫は片側の起立筋にしこりを発見し、その原因を交感神経の問題だと考えていた。初めに彼は、しこりのある学生たちが一様に胃腸の不調を訴えていることに注目した。胃がある位置は、彼が指摘した胸椎七、八、九番の位置とも符合している。次に彼は、学生たちの胃の不調は夜ふかしなどの生活習慣が原因だと考えた。不規則な生活習慣で交感神経の働きが狂い、血流の切り替えがうまくいかなくなった結果、背中の起立筋の部分にしこりが現れると結論づけたのである。

私も起立筋のしこりには交感神経の異常が関与していると考えている。ただしその成り立ちは三木の考察とは全くちがう。私は交感神経の異常を引き起こす原因として、生活環境中の化学物質や重金属、放射線などの有害物質を候補に挙げる。ひょっとすると現在の科学では無害だと考えられている物質が関与している可能性もあるだろう。もちろん三木のいうように、睡眠不足などの生活習慣や加齢、遺伝の問題も影響しているかもしれない。いずれにしてもそれらの影響で神経伝達が異常になった結果、左の起立筋が特異的に緊張してしこりになるのである。

さてここからが本題だ。ヒポクラテスは背骨がズレることだけは知っていたが、規則的に左にしかズレないことには気づいていなかった。さらに背骨のズレには発痛作用だけでなく鎮痛作用まで存在している点も知らなかった。

背骨がズレると、ズレた椎骨が周りの神経や血管など、さまざまな組織に対して機械的な力を及ぼす。その結果、背骨のズレは多くの疾患とかかわりをもつようになる。要するに背骨がズレると体中のあちこちに症状が出るのだ。実は三木が診た患者たちはいわゆる半病人だったが、正真正銘の病人の体にはこの現象がおどろくほど多く見られる。そこで起立筋の緊張と疾患とのかかわりについて考えてみよう。

例えば腰椎がズレると、ズレた腰椎の周りの知覚神経が刺激されて腰痛になる。腰痛は背骨のズレによる発痛作用の代表である。ところが背骨がズレているのに痛みが全く出ないこともある。三木は「およそ筋肉と名のつくものであれば、骨格筋であれ内臓筋であれ血管筋であれ、それらの収縮は例外なく痛みにつながる」といっていた。それならば、背骨のズレで筋肉がことごとく引きつっているのに、なぜ痛みが出ないのだろうか。

背骨のズレは末梢神経だけでなく、時には中枢神経である脊髄まで刺激してしまう。このとき何らかの信号が脊髄から上位中枢に伝わって、内因性オピオイド、つまり脳内モルヒネの分泌が誘発される。すると患部に鎮痛作用が働いて、本来出るべき痛みが抑制される。そしてこの鎮痛作用こそ、「アシンメトリ現象」の最大の特徴である、左半身の知覚鈍麻の理由なのである。

いい換えるなら、発痛作用は「アシンメトリ現象」によって発生した背骨のズレの結果であり、鎮痛作用はズレによって「アシンメトリ現象」がさらに悪化した状態だったのだ。ヒポクラテスが「アシンメトリ現象」のこの一連のストーリーを知っていれば、彼の名声もさらに上がったことだろう。

ではその背骨のズレさえなくせば、症状は全て解決するのだろうか。確かに発痛作用の場合はそうである。ズレによって痛みが出ているとき、ズレた背骨を正しい位置に戻してやることで痛みは消えてしまう。だが残念なことに、鎮痛作用の場合は背骨のズレを解消しても、一旦レセプターと結合した内因性オピオイドの作用まではなかなか解除されない。発射ボタンを押してミサイルが飛んでいってしまったら、あとから取り消すことはできないようなものなのだ。

左の脊柱起立筋の盛り上がりが容易には消えない理由もここにある。この盛り上がりは単に背骨がズレただけでなく、鎮痛作用が働く段階まで到達したときにのみ現れる。また鎮痛作用が働くほどのズレは、それに伴う疾患もがんのように格段に厄介なものになる。ヒポクラテスが悪銭苦闘したのはこの鎮痛タイプだったのだ。背骨がズレて痛みが出るのはイヤなものだが、ズレているのに痛くないのはもっと恐ろしい。口やかましく小言をいっているときの奥さんよりも、だまりこんでしまったときのほうが数段怖いのと同じことである。

それではこれらの背骨のズレのしくみをベースにして、左起立筋の盛り上がりがどのようにして腰痛からがんにまで結びつくのかを、改めて美術家の観点から考えてみよう。

第8章

「アシンメトリ現象」による発痛作用

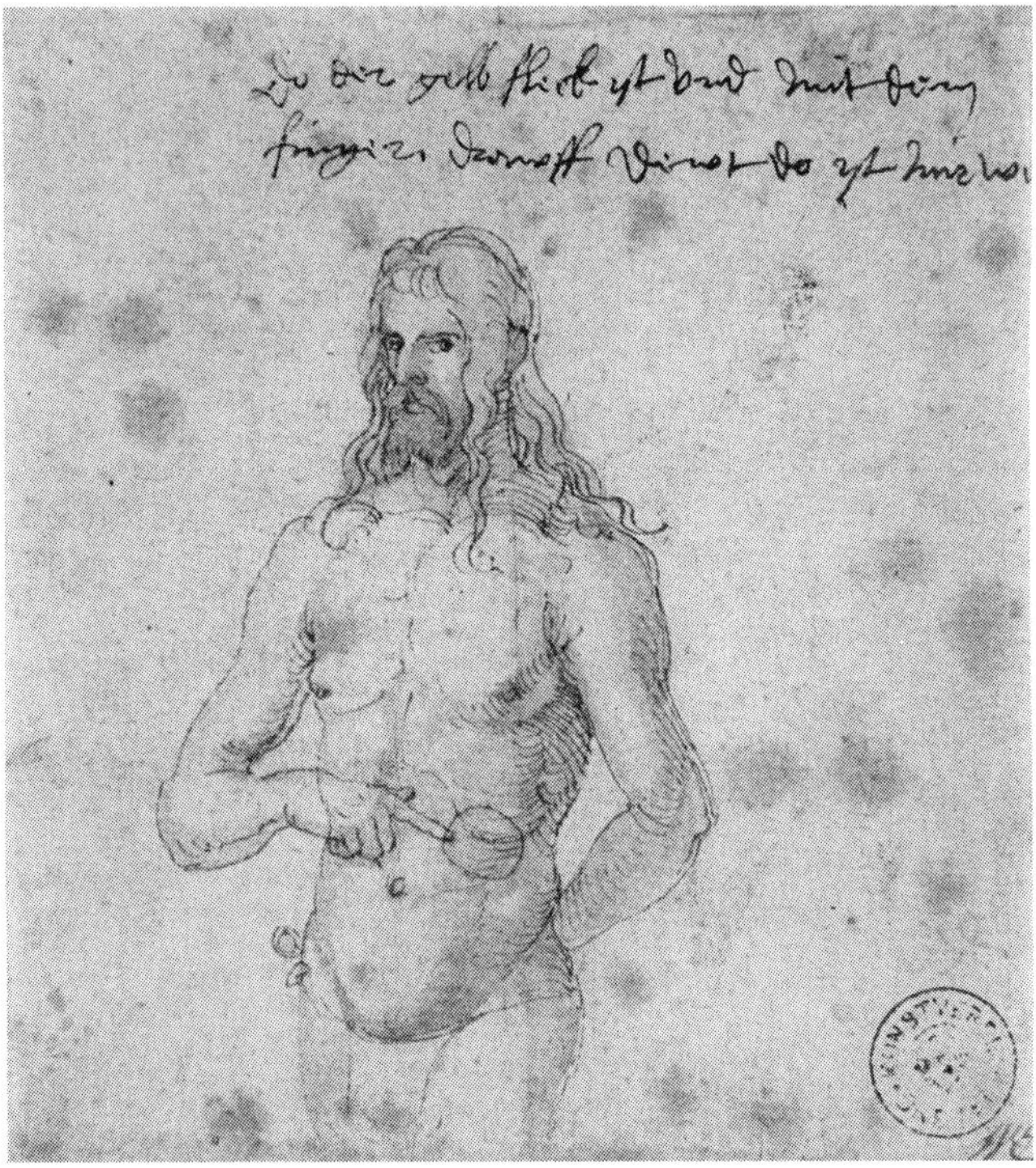

アルブレヒト・デューラー（1471–1528 年）自画像

美術史家の小池寿子氏の著書『内臓の発見』によると、デューラーはこの素描の上に「指で示している黄色いその部分が私を苦しめています」と書き込んで医師の元に送った。小池氏はこの部分のことを脾臓であると考え、四体液説につなげて考察している。だがこの部分は本当に脾臓だろうか。デューラーは自画像として自分の姿を描いているので、彼の姿は反転している可能性もある。すると指で示した部分にあるのは胆のうだ。これを胆のうだと考えると、胆石による胆のう炎が一般的だろう。その場合、激痛を伴うこともあるため、日ごろから自覚症状を訴える人は多い。これがもしも脾臓だったならば、その部分だけに自覚症状が出ることはないはずだ。しかし脾臓のあたりに痛みなどの症状を感じる人はいる。その多くは脾臓が悪いわけではなく、胸椎のズレによる痛みなのである。

1　ストレスで腰痛になるなら世界平和が実現する

私も若いころには腰痛で苦しんだことがある。腰からお尻にかけて痛みが走り、しびれで足の感覚までにぶくなっていた。しばらくの間は体を動かそうとすると大昔のロボットのようだった。それでも病院に行くこともなく、一年ほどで症状は治まった。

探検家の関野吉晴医師の話では、未開の地でさまざまな医療検査を実施したら、現地の人には腰痛が全くなかったそうだ。しかし日本だけでなく先進国全般で腰痛患者は激増し、世界でもっとも大きな健康問題といわれるまでになった。しかも大人だけでなく子どもにまで広がっている。ところがこれだけ患者が増えているのに、病院で腰痛が治ることはほとんどない。治らないからひたすら患者は増え続けていく。

それではなぜ腰痛は治らないのだろうか。腰痛研究の権威といわれる著名な医学博士が書いた本にも、題名に『「治らない」を考える』と入れて、いきなり白旗を掲げていた。腰痛が病院では治らない実情を正直に書こうとすると、必然的にそういう表現になってしまうのだ。

腰痛はがんの骨転移のような重大疾患や交通事故による骨折などでも起こる。しかし整形外科では、検査でそういった腫瘍や骨折のようなはっきりした原因が見つからなければ、肉体の問題ではないと考える。そして肉体でなければあとは心の問題、つまり心理的ストレスが原因だと判断する。その数は実に腰痛患者の八〜九割にもなるらしい。

仮にその通りであるなら、現在の医療体制は非常に効率が悪いシステムだ。ストレスが原因のケースが九割なら腰痛患者は最初に心療内科を受診すべきではないのか。そうすれば整形外科の待合室が腰痛患者であふれ返ることもない。しかし整形外科では腰痛患者を心療内科に誘導するようなことはしない。自分のところで薬を処方してすませてしまう。

一昔前までは、原因のわからない腰痛は全て「腰痛症」と診断されていた。そのため「腰痛症」は病名のくずかごだといわれていたのである。だが心理的ストレスが原因だと診断されるようになっても現実は何も変わらない。処方される薬の数が増えただけなのだ。

「ストレスで腰痛になる」といわれると、私には国語としても論理としても違和感がある。国語のテストで「ストレスが原因で腰痛になる」などと書いたら、「腰痛がストレスの原因になる」と直されるはずだ。これでは「雨が降ったから傘を差した」のではなく、「傘を差したから雨が降った」といっているようなものだ。こんな破綻した論理では小学生でも納得しない。

実際、ストレスでは腰痛にはならない。このことはすでに歴史が証明している。生物にとって最大のストレスは何といっても生命の危機である。それなら戦時中、激戦地の最前線に立っていた兵隊たちは心理的ストレスのレベルがマックスだったはずだ。太平洋戦争中の日本兵が三〇キログラムを超す荷物を背負って、不眠不休で数十キロメートルも行軍した話は有名だ。これなど心理的ストレスだけでなく肉体的なストレスも極限である。しかし戦場で兵隊が腰痛で動けなくなったなどとは聞いたことがない。単なる心理的ストレスで腰痛になるぐらいなら、とっくの昔に歴史から戦争などなくなっているはずである。

また最近はストレスによる腰痛を脳の問題に置き換えて説明するようにもなっている。この説は、二〇年程前にベストセラーになったラマチャンドランの『脳のなかの幽霊』が発端である。そこで紹介された幻肢痛の存在が「幽霊」というフレーズと相まってセンセーショナルだったのだ。

幻肢痛とは、四肢を切断した患者がすでに無くなっているはずの腕や脚に痛みを感じる現象である。同書では、腕や脚そのものがないのに、ありもしない痛みを「脳が勝手に作り出している」と説明している。そして幻肢痛の話が有名になって以来、この説明は腰痛などの疼痛治療の現場で多用されるようになったのだ。

さらに「ストレスのせいで脳が勝手に痛みを感じているだけだから、本当は痛みなどないのですよ」などと医師から説明される場面が増えた。これは今現在、必死で痛みに耐えている患者からすれば、「バカにしているのか！」と怒りたくなる話だろう。しかしこれが最先端の脳科学の結論だといわれれば、だれも文句がいえない。処方された消炎鎮痛剤と抗うつ剤などの薬を受け取って帰るだけである。

だがこれまたおかしな話である。心理的ストレスが原因だといっているのだから、抗うつ剤を渡すだけならまだ理解できる。それならなぜ消炎鎮痛剤まで処方するのか。消炎鎮痛剤は外傷などの炎症に効果のある薬なのだから、医師が外傷だと認めていない腰痛に効果があるはずがない。ここでも論理は破綻している。

ところが最近、驚きの論文が発表された。『British Medical Journal』誌の二〇二一年一月にウェブ掲載された論文によると、これまで心理的ストレスによる腰痛に対して処方されていたSNRIなどの抗うつ剤には明確な効果が認められなかったのだ。しかも坐骨神経痛に至ってはほぼ無効なのである。

今まで現場の医師たちは、患者の様子を見て本当に抗うつ剤に効果があると判断していたのだろうか。やはりストレスによる腰痛だと診断された患者でも、効果があったのは抗うつ剤ではなく、いっしょに処方していた消炎鎮痛剤のほうだったことになる。

つまり彼らの痛みは脳が勝手に作り出していたのではない。実際に存在している外傷的な痛みだったのだ。その痛みを特定できないのだから、現在の検査方法が不備であることが露呈した。では原因がストレス以外の残りの一〇〜二〇パーセントの腰痛についても、正しい診断ができているのだろうか。

2　腰痛の真犯人はだれだ

その一〇〜二〇パーセントの腰痛に対して病院でつけられる病名のうち、もっとも一般的なものは腰椎椎間板ヘルニアと脊柱菅狭窄症である。腰椎椎間板ヘルニアは椎間板に亀裂が入って中の髄核が飛び出し、それが神経に当たることで腰痛になるといわれる。また脊柱菅狭窄症では脊柱管に骨棘ができて、その骨棘が神経を圧迫することで腰痛になると考えられている。

これらは検査画像による所見と症状との間で因果関係がはっきりしているから、それを手術で切除することは治療として妥当だと判断される。だが実際には手術で原因を取り去っても痛みが消えなかったり、手術で痛みが消えてもまた同じ痛みが出現したりする。これではまるでミステリーだ。

例えば指にトゲが刺さったら、トゲを抜けばその場で痛みが消える。それなのにトゲを抜いても痛みに変化がなかったり、消えたはずの痛みが後からぶり返したりすることなどあり得ない。しかし腰痛の手術となると、そのあり得ないことが起きるのだからミステリーなのだ。

なかでも特に私が疑問を感じるのは痛みが消えなかった症例ではない。手術で痛みが消えてしまったほうの症例である。多くの医師は痛みが消えたのは手術をしたからだと信じ切っているし、患者もそう信じ込まされる。そして手術で痛みが消えなかったら「時間が経てばそのうちよくなる」と説明され、再発したら「気のせいだ」といわれる。あくまでも手術の実施は妥当だったと主張するのだ。

しかし私は、手術患者の腰痛が消えたのは手術前後や手術中に使用した鎮痛剤や麻酔薬の効果ではないかと疑っている。実際、腰椎椎間板ヘルニアや脊柱管狭窄症と診断されても、手術せずに鎮痛薬を使い続けているだけで腰痛が消えることがある。医師たちもそれを期待して投薬しているはずだ。すると手術を受けた患者にも同じことが起きたと考えられるだろう。

また薬を使わなくても、時間の経過とともに自然に腰痛が消えることも珍しくない。私の場合もそうだった。ヘルニアなどはいずれ異物として免疫細胞に捕食され、体内に取り込まれてしまうものでもある。そう考えると、やはり本当に手術が必要なのかは疑わしい。

そこで純粋に手術の有効性を知りたいと思えば、手術実施のA群と、手術なしで鎮痛剤・麻酔薬投与だけのB群とで、両者の治癒率のちがいを疫学的に調査すればよい。しかし調査の結果、AB両群にちがいがなければ、過去に実施された手術は全て無意味だったことがわかってしまう。そうなれば医学史に残る汚点となるから、この手の調査が実施される見込みは薄い。

ではなぜ私には椎間板ヘルニアや脊柱管狭窄が腰痛の原因ではないとわかるのか。それはヘルニアや狭窄症と診断された患者たちの背骨がズレていることを確認し、そのズレを医師や治療家たちが矯正したら患者の痛みがその場で消えるのを何度も目にしているからだ。

ヘルニアだろうと狭窄だろうと背骨がズレて痛みを出している点については、他の腰痛患者と同じであった。手術しても消えなかった痛みや手術後に再発した痛みであっても、結果にちがいはなかった。背骨のズレを戻したからといってヘルニアや骨棘が消えるわけではないから、それらが腰痛の原因ではなかったことがわかるのだ。

そもそもヘルニアや狭窄が腰痛の原因だとする説も単なる思い込みにすぎない。症状もないのに検査を受ける人はまずいないから、ヘルニアや狭窄の存在は、腰痛の人が検査を受けて初めてわかることである。

しかしヘルニアや狭窄そのものは腰痛のない人にも見られる現象だ。特に骨棘などは加齢による現象だから年をとればだれでも狭窄になっている。そんな単なる老化現象を腰痛の原因だと決めつけるには無理がある。

こうやって一つ一つ見ていくと、結局これまで医学上は腰痛の原因だとされてきたストレスもヘルニアも狭窄も、ことごとく見当ちがいだったことがわかる。つまりほとんどの腰痛は背骨のズレのせいなのだ。この考えに異論がある人は手術を受けてしまうかもしれないが、外科手術にはリスクが伴うことは覚悟しておく必要がある。

また腰痛に関する一般書には、必ずといっていいほど「腰痛は人類が二足歩行を始めたこと

◆医師による施術例１

「椎間板ヘルニア」患者（20代OL）

１か月前から左臀部の深部に鈍痛があり、整形外科を受診。MRI検査で「L5-S1の椎間板ヘルニア」と診断され、鎮痛剤を処方されたが痛みは改善しなかった。その後、神経ブロックもしてもらったが痛みが引かないので来院。

骨盤の左側が2cmほど頭部方向に上がっていたので、骨盤を矯正したら左右差はなくなった。第５腰椎が左にズレていたので矯正し、仙骨も矯正したら痛みが軽快。

２回目来院の前日から痛みが出てきたが、初診時ほどの痛みではないようだ。

再度の矯正で、その痛みも軽快したので、再発したら来るように伝えて治療はいったん終了した。

整形外科での鎮痛剤、神経ブロックでは効果がなかった患者だが、背骨のズレの矯正だけで改善した。

（資料提供「モルフォセラピー医学研究所」）

に対する宿命だ」と書いてある。ところが近年では、イヌやウマなどの四つ足の動物にも腰痛があることが明らかになっている。腰痛は二足歩行に進化した人間の特権ではなかったのだ。

それでは彼らも人間と同じように背骨のズレを矯正すれば効果があるだろうか。もちろん結果は同じである。ただし人間とちがうのは、動物にはプラセボ効果が期待できない点だろう。

プラセボ効果とは、にせものの薬を飲まされても本人は治ったと感じることで、どのような治療法でも一定数はプラセボ効果がある。先述した腰痛学会の権威も、腰痛治療にプラセボ効果を積極的に取り入れたいと書いていた。だがその手法はイヌやウマには通じない。

ところがある獣医師は背骨のズレを矯正することでイヌの腰痛を治してみせた。イヌにはプラセボ効果はないのだから、この事実は背骨のズレと腰痛の関係をはっきり証明したといえるだろう。

3　ひざや股関節が痛くなるメカニズム

広告というのはテレビや新聞を見ない私にも情報がちゃんと届くようになっている。腰痛の原因がストレスだといわれ出した途端、健康食品の広告ターゲットは腰痛患者からひざ痛患者へとシフトした。原因がストレスでは、もう腰痛患者に健康食品は売れないからだ。

また、ひざの痛みの主な原因はひざ軟骨の磨耗だといわれているから、軟骨成分の広告もやたらと目につくようになった。しかし軟骨成分を摂ったからといってひざの痛みが治るものだろうか。

しばらく前のことだが、コラーゲン鍋なる料理がブームになっていたことがある。コラーゲンを食べれば肌がプルプルになると期待している人もいた。だがコラーゲンはたんぱく質である。たんぱく質は体内に入ると一度アミノ酸に分解されてから、たんぱく質に合成される。つまり口から食べたコラーゲンが、そのまま肌やひざのコラーゲン繊維になるわけではないのだ。

これは牛を食べても牛にはならないのと同じことだろう。

以前、ある整形外科医と酒をしこたま飲んだとき、彼は酒が回るにつれて饒舌になった。そして酔った勢いで日ごろ患者に向かっていえないようなことをぽつぽつと語りだした。「ヒアルロン酸なんかひざに直接注射したって効果がないのに、口から入れて効果なんかあるわけないんだ」といって患者のあまりの知識のなさに呆れていた。

彼は口は悪いが不親切なわけでも不誠実なわけでもない。ひざ痛の患者を前にして、自分の薄くなった頭を差し出し、「いいですか、仮に私が髪の毛を食べたら、この頭に毛が生えてくると思いますか⁉」と身を挺して説明しているのだ。それほどまでしても、口から入れたヒアルロン酸やコラーゲンに効果がないことが患者に理解してもらえない。健康食品の広告には負けてしまう。そのことを嘆いていたのである。

ひざ痛の一般的な病名である「変形性膝関節症」は一種の関節炎である。老化や肥満などでひざの関節の軟骨がすり減って起こると考えられている。「変形性膝関節症」はひざが痛むだけでなく、ひざに水が溜まる・ひざが痛くて正座できない・階段の昇り降りに支障があることなどが主な症状だ。

整形外科ではこれらの症状の患者に対して、ひざのレントゲン写真を撮って検査する。そして「変形性膝関節症」だと診断がついたら、ステロイドなどの薬物を投与し、ひざに溜まった水を抜き、ときにはひざ関節の置換手術なども実施する。だがこういった治療法に本当に効果があるのだろうか。

私は整形外科での診断方法には、解剖学的に見て明らかに問題があると考えている。整形外科では、ひざの諸症状に対して一律でひざの検査しかしない。しかしこれが腕の痛みやしびれの場合なら、症状によっては頸椎のレントゲン写真を撮る。症状を出している腕神経の高位責任は頸椎にあることが解剖学上よく知られているからだ。そのため腕に直接、打撲などの原因がない限り、頸椎ヘルニアなどを疑って頸部のレントゲン写真を撮るのが一般的である。

これと同様に、ひざ周辺の神経の高位責任は腰椎にある。従ってひざに症状があってなおかつ、ひざに直接、外部から衝撃を受けたのでなければ、必ず腰部のレントゲン撮影をするべきなのだ。

しかしひざに症状がある患者に対して、整形外科で腰部の検査をすることはまずない。これは解剖学を無視した行為であり、自科においても腕の症状への診断方法とは矛盾している。この矛盾は他科の医師からも指摘されていることである。

実際にはほとんどのひざの痛みは腰椎のズレが原因である。このしくみを理解したうえで、患者の腰椎を徒手で矯正してひざの痛みを取っている医師もいる。この手技はかんたんなので、家族同士で矯正し合うように指導して効果を上げている。

もちろんズレている腰椎を正しい位置に戻したからといって、摩耗したひざ軟骨が元通りになったわけではない。しかしその場で痛みが消えたのだから、「変形性膝関節症」と診断された症状はひざそのものが原因ではなかったことがわかる。

解剖学的に見れば下肢の神経は腰椎から出ているので、腰椎にトラブルが起きると下肢にも影響が出ることがある。私が腰痛だったとき、腰だけでなく臀部や脚にまで痛みやしびれが出ていたのもそのためだったのだ。

では「変形性膝関節症」の発生のしくみを具体的にみてみよう。

まず腰椎がズレてひざに向かう神経が刺激され、ひざ周辺に痛みなどの症状が出る。するとひざが動かしにくくなる。さらに歩くたびに関節には異常な負荷がかかる。関節に負荷がかかればそこに炎症が発生する。炎症があるとひざに水が溜まりやすくなる。水が溜まって腫れると余計に痛みが増す。これが一連のストーリーではないか。

本来なら、ひざ痛や腰痛の原因である背骨のズレは、歩くことによってかなり改善されるものである。ところがあまりにひざの痛みが激しいと、歩くことすらままならない。すると自然にズレが戻ることがないから、症状がどんどん悪化してしまうのだ。

「変形性膝関節症」の他にも似たような下肢の症状の一つに「変形性股関節症」がある。

「変形性股関節症」は先天的な股関節の構造の問題だとされることが多い。しかし手術が必要だといわれた患者でも、腰椎のズレを手技で矯正しただけでふつうに歩けるようになる例は少なくない。その矯正を実施した医師は股関節自体を治療したわけではない。それでも治ってしまうのは、「変形性膝関節症」としくみは同じだ。この場合、腰椎のズレによる症状がたまたま股関節周辺に現れていただけなのである。

この因果関係は解剖学的に見れば納得できるはずだが、「変形性股関節症」の場合も整形外科でその責任高位である腰椎を調べることはない。

4　痛みが出るしくみがわかれば診断法の矛盾がわかる

背骨がズレると全身の至る所に症状が出る。これが体性痛と呼ばれる症状だ。その体性痛が現れた部分の神経を逆にたどっていくと背骨のズレに行き当たる。しかし背骨のズレと症状との関係を知らないと、どのような検査をしても原因にたどりつくことはない。近視眼的になって、ひざや股関節といった部品にばかり目が行ってしまう。

現在の「変形性膝関節症」や「変形性股関節症」に対する整形外科のアプローチは、水道の水の出が悪いときに蛇口だけ見て対処しているようなものである。素人考えでも、蛇口のケアで改善しなければ、元栓や水道管を調べてみるのがセオリーだろう。それなのになぜか治療の現場では、その当然のことが無視される。しかもラマチャンドランが書いた幻肢痛の話が一般化してからは、問題を脳の異常にすり替えた。これではわが家の水道の不調は、実は水道局の指示だったとでもいうのだろうか。

こんな状況では、患者がいくら体の不調を訴えても医師には理解してもらえない。症状が一つや二つならまだしも、背骨のズレによる症状は、頭・背中・腰・ひざ・かかとなど同時に何か所も出ることがある。そうなるとうつ病か「線維筋痛症」といった病名でくくられてしまう。うつ病となると完治は難しいが、「線維筋痛症」も原因不明の疼痛が全身に現れるうえ、病院では治らないのでほぼ難病の扱いである。

「線維筋痛症」とは、全身のさまざまな痛みやこわばり、めまいや吐き気、月経困難、精神神経症状などといった原因不明の症状を総称した疾患だ。しかし病院での血液検査や画像検査では異常を特定できないため、断定的な診断を下せない。唯一の足がかりとされているのが圧痛点を用いた診断方法である。

圧痛点とは、指で表皮を圧迫すると特異的な痛みを感じる場所のことだ。全身にある一八か所の圧痛点のうち一一か所以上に痛みが認められれば「線維筋痛症」だと診断されるという。

私が子どもだった一九五〇―六〇年代は、腹痛を起こして病院に行くと、医師が腹部の圧痛点を押して虫垂炎かどうかを確認するしかなかった。それが一九七〇年代に入ると分子生物学が急速に進歩して、痛みに対する遺伝子やタンパク構造が分子レベルで解明されるようになった。また、fMRI（機能的磁気共鳴画像法）の開発によって、痛みによる脳の活動部位や神経回路網まで可視化できるようにもなっている。

だが痛みというのはあくまでも本人の自覚的なものであるから、以前は痛みを数値や画像に置き換えて客観視することができなかった。つまり他人の痛みの度合いを正確に理解するすべがなかったのだ。しかし科学の進歩によって痛みに対する医学は歴史的な大進歩を遂げた。ところが「線維筋痛症」に関しては、半世紀前のレベルを超えられずにいるのである。

◆医師による施術例2

「潰瘍性大腸炎」患者（25歳会社員）

25歳の会社勤めの男性が5年前から下痢が続いていた。粘血便も続くので消化器内科を受診すると、難病の「潰瘍性大腸炎」だと診断された。だが処方された内服薬を飲んでも症状はずっと続いていた。

彼は両ひざと左の腰に痛みがあったので、背骨のズレの矯正を希望して来院。

来院時は、腰椎だけでなく胸椎、骨盤、肩甲骨までズレていた。それらを順に矯正で戻していくと、ひざや腰の痛みは数回の矯正で消えた。

そして6回目の矯正のあと、下痢や粘血便までなくなった。そこで潰瘍性大腸炎の服薬をやめてみたが、その後も体調はよく、ひざと腰の痛みも消失した状態で安定している。

患者本人も背骨の矯正でひざや腰の痛みだけでなく、潰瘍性大腸炎まで治るとは思ってもいなかったのでたいへん喜んでいた。

必要なら担当医と相談しながら、経過を見守るつもりである。

（資料提供「モルフォセラピー医学研究所」）

しかもこの圧痛点の扱いはほとんど漢方医学のツボの感覚だ。漢方でいうところのツボは、押す人によっても地域や時代によっても位置が微妙に異なっている。このあいまいさがツボを否定してきた医師たちの攻撃対象でもあったはずだ。ところが「線維筋痛症」の圧痛点となると、なぜかツボ同然のあいまいさを許容してしまっている。この矛盾にすら気づけないようでは、患者の不調の原因が解明される日は遠いだろう。

5 心理的ストレスは空くじなしの福引

私は「アシンメトリ現象」を発見したことによって、背骨のズレにはだれにも知られていない二つの作用があることがわかった。それらが数多くの疾患と関係していることも明らかになったのである。ところが今の医学では、背骨のズレが原因だと思われる疾患のほとんどが心理的ストレスのせいにされている。このようなストレス病因論の登場によって医学の迷走が加速した結果、治らない病気が増え続けることになる。

特にこの二〇～三〇年の間に、医療の現場では心理的ストレスが原因だとされる病気の数が異様に増えた。このストレスを万病の元のように扱う風潮に私は強い違和感を覚えるのである。

ストレスは医療のみならず、社会学的な現象の用語としても広く一般に認知されている。しかしそもそもストレスとは、原発の「ストレス・テスト」などのように材料力学や機械工学の専門用語であって、物体に外的な力が加わった場合のゆがみや不均衡を意味していたのである。

このストレスという用語を生体に応用したのが、ハンス・セリエが一九三六年に発表したストレス学説だ。ストレス学説では、外的な刺激（ストレッサー）が生体の恒常性（ホメオスタシス）のバランスを崩すことで精神および肉体の疾患の原因になっていると考える。そしてセリエはストレッサーを以下の四つに分類した。

・物理的ストレッサー：寒冷、高温、熱傷、放射線、騒音など
・化学的ストレッサー：酸素、飢餓、薬物、過食など
・生物的ストレッサー：細菌、花粉など
・心理的ストレッサー：配偶者の死、離婚、試験など

現在ではこのストレス学説が医療の世界に深く浸透している。なかでも心理的ストレスは、精神疾患はもちろんのこと腰痛からがんまでほとんどの疾患と結びつけて考えられるようになった。このストレス原因説が普及したせいで、「ストレスをためると免疫力が低下してがんになる」といったような認識を一般のだれもが持つまでになっている。

しかし実際には、心理的ストレスと疾患との因果関係が科学的に証明されているわけではない。それなのになぜ医療の世界では、こんなにもストレス原因説が受け入れられているのだろうか。

実は科学が進歩したと思われている現代でも、原因のわからない病気は山ほどある。そういった原因のわからない症状の患者に対して病院では、「あなたの症状の原因は私にはわかりません」とはいえない。その代わりに「原因はストレスです」ということにした。ストレスのせいだといっておけば、物理的・化学的・生物的・心理的のストレッサーのどれかには必ず当たる。特に心理的ストレスなどは比較のしようもないから、ストレスなどありませんといい切れる人もいない。これは空クジなしの福引みたいなもので、全員当選まちがいなしなのである。

私がここで問題視しているのはストレス学説そのものではない。ストレッサーには四項目あるにもかかわらず、実際に用いられるのは基準すら存在しない心理的ストレッサーに限られている点なのだ。

医師は患者に対して、「最近、なにかストレスを感じることはありませんでしたか」「現代はストレス社会だから云々」と問うことで、医学の限界を本人や社会学の問題にすり替えている。

こうしてストレスが原因だとされてしまうと、その疾患が病院の治療で治ることはない点も重要だ。もし患者が「治らない」と不満の一つもいえば、「あなたがストレスを溜めたから症状が改善しないのだ」といって、これまた論旨をすり替えてしまうのである。

6　ストレス病因論は時代錯誤の生気論

最近はあまり耳にしなくなったが、昔は「健全な精神は健全な肉体に宿る」といわれていた。これは古代ローマの風刺詩人ユウェナリス（六〇―一二八年）の言葉だそうだ。確かに古代ローマから昭和のころまでは精神の元は肉体にあった。もちろんこれは科学的にも正しかったはずである。ところが今の医学ではこの因果律が逆転し、「精神が健全なら肉体は病気にならない」などといったカルト的な思考に陥っている。

二〇一一年三月に日本で起きた原発爆発事故の直後にも、ある有名な医師が「笑っていれば（被曝しても）がんにならない」と公言していた。これは生き方としてはすばらしくても、医学や科学としては看過できない話だ。私の知る限り、当時はこの発言に対して公の場で反論する医師もいなかった。あのころの日本はまるで集団催眠の様相を呈していたのである。

では心理的ストレスがなくて精神が健全であれば、本当に病気にはならないのか。論理的に考えればそんなはずがないことはだれにでもわかる。ストレスを病気の原因だとするストレス病因論の台頭は、従来の病理観からすれば、細菌学登場以前の呪術的医療に逆戻りしている。

一九世紀にパスツールが微生物が病原体である可能性を示唆して以来、特定の原因が特定の病気を起こすという考え方が病理学の基本になった。例えばコレラはコレラ菌によって引き起こされる病気である。だから抗生物質でコレラ菌を除菌すればコレラが治るのだ。

ところが心理的ストレスが原因だとなると、この病理学の因果律が成り立たない。もちろん抗生物質のように、病因としてのストレスを取り除いてくれる薬剤もない。従ってストレスが原因だとされた時点で、腰痛もがんも治る見込みがなくなるから、医療の対象ですらなくなってしまう。つまりストレス病因論など医学でも科学でもない。時代錯誤の生気論なのだ。

生気論とは生命に対する考え方の一つである。古くはアリストテレスが「人間、動物、植物の全てに霊魂（アニマ）がある」と考えていたのが生気論だ。この生気論に対して、あくまでも唯物的に生命を捉えるのが機械論である。機械論はデモクリトスの原子論あたりに端を発するが、自然科学の世界では古代ギリシアの時代から、生気論と機械論は常に対立してきたテーマだった。

それが一七世紀に入ると、この対立に大きな転機が訪れる。デカルトが「霊魂は人間のみにあり、他の動植物には存在しない」と定義して動物機械論を展開した。そして一八世紀にフランスの哲学者（医師）ラ・メトリー（一七〇九—五一年）が「人間すらも機械と同じである」として人間機械論へと発展させた。彼らのこうした考え方を契機として、自然科学は機械論が主流となって進化していった。医学もまたこの機械論をベースにして発達した学問である。そのため現代医学では、生気論的な考え方は非科学的だとして即座に否定されてきた。要するに機械論で語れないのであれば、それは医学でも科学でもないのだ。

そもそも心理的ストレスは、病理検査で数値や画像に置き換えることができない。検査で客観視できないなら、心理的ストレスを悪霊のしわざだといい換えても同じことだ。それは私にはどうしても医学の話とは思えない。許されることではないが、何かのいい訳として医療の現場でストレス説を使うだけならまだよい。問題なのは、ストレスが原因だといい続けているうちに、本当の病因を見失ってしまうことなのである。

例えば以前なら、胃潰瘍はストレスが原因だといわれていた。また当時は胃潰瘍を放置するといずれがん化すると考えられていたので、多くの胃潰瘍患者が胃の切除手術を受けていた。ところが一九九五年ごろから胃潰瘍はピロリ菌が原因だといわれ始めた。ピロリ菌を抗生物質で除菌すると、胃潰瘍の再発率が極端に低くなることがわかったからだ。この発見によって、ストレスで胃潰瘍になるのではなく、胃潰瘍がストレスの原因へと転換した。これは主客転倒どころか、医学を生気論の魔手から本来の機械論に奪還した好例なのである。

7　ウートンの憂いの一〇〇年

いずれ腰痛からがんまで、本当の原因が明らかになる日が来るだろう。歴史を振り返れば、最先端と称して散々脚光を浴びた治療法が、医学史上に汚点を残しただけだった例も多い。それらの治療法に共通しているのは、どれも「本当は治っていなかった」という事実なのである。

古代ギリシアのヒポクラテスの時代から、瀉《しゃ》血は代表的な治療法の一つだった。瀉血とは体から悪い血を抜き取ることで病気が治ると信じるまじない的な療法だ。瀉血など非科学的だとして拒絶していたデカルトでさえ、死の間際には医師たちから執拗に迫られて瀉血を受け入れた。もちろんそれで治ることはなかった。またアメリカの初代大統領ジョージ・ワシントンが何度も瀉血されすぎて失血死した話も有名だ。これらはいずれも医療史に残る悲劇の逸話であり、教訓でもある。

当然のことながら医学は科学である。科学であれば、新しい発見によって従来の常識が突然一八〇度くつがえることなど珍しくはない。それが科学の進歩というものだ。ところが医学の世界では、既存の常識は普遍の真理だと思い込む傾向が強い。

歴史学者のデイヴィッド・ウートン（一九五二年―）は、「二四〇〇年の間、患者は医師が有益なことをしていると信じてきた。しかし二三〇〇年の間、それはまちがいだった」と指摘している。この二四〇〇年前とはヒポクラテスの時代のことであり、二三〇〇年経った後のこの一〇〇年とは、パスツールによる細菌学が確立したことで医学が科学として歩み始めた時代のことだ。

確かにこの一〇〇年で医学は飛躍的に進歩したかに見える。しかしその進歩の実態は、機械工学や遺伝子工学、生物化学であり、公衆衛生の徹底の成果なのである。医学はそれらの科学的手法を身にまとっただけで、医学そのものの核となる考え方は未だ生気論のままなのかもしれない。

実はウートンほどの人物でも、「現在に至る一〇〇年は、医療は患者に有益なことを行ってきた」と考えているのだから、思い込みから抜け出せていない。思い込みによる医療が今現在もどれほどまちがいを繰り返していようと、同時代の人間が正しい評価を下すのは至難の業《わざ》なのだ。その難しさこそが、思い込みの思い込みたるゆえんなのだろう。

このままでは、また一〇〇年後の歴史学者が「この二五〇〇年のうち二四〇〇年はまちがっていた」と評価しそうな気がする。

第9章

美術家が見たがんの夢ものがたり

『クララ・セレーナ・ルーベンスの肖像』（ピーテル・パウル・ルーベンス）
ルーベンスは12歳で亡くなった娘の肖像画をいくつも画いている。「愛らしい」とか「子どもらしい」と表現されることの多いこの作品には、典型的な「アシンメトリ現象」が表現されている。左目の瞳が上ずって、鼻の孔も左が円くなっている。口元も左上に引きつっている。これらの特徴に異常性を感じないだろうか。「アシンメトリ現象」の存在を知らなくても、この表情を見て不安や何か落ち着かなさを感じる人はかなり感覚が鋭いといえる。

1　がんは炎症である

夢とはふしぎなものだ。日ごろ考えてもいないようなことが突然現れることがある。つい先日も、「がんはなぜ硬いのか」と真剣に考えている夢を見た。昔はがんに岩の字を当てていたぐらいだから、がんはゴツゴツとして岩のように硬いものなのだ。夢とはいえ、「がんはなぜ硬いのか」はなかなかおもしろいテーマである。

そんなことは今まで一度も考えたことがなかったのに、夢のなかではちゃんと答えまで用意されていた。「細胞とは発泡スチロールの気泡のようなものだ。気泡が小さければ密度が高くなって硬くなる。限られた空間で、より多く発泡した状態ががんである。だからがんは硬いのだ」これはいかにももっともらしい説明ではないか。発泡スチロールの例えもユニークだ。物理の解答としてはまちがっていないだろうが、医学としてはどうだろう。

目が覚めてから、改めて「がんはなぜ硬いのか」について考えてみた。そこでふと「がんは炎症ではないか」という考えが浮かんだ。頭をぶつけてできたたんこぶのように、打撲などで炎症を起こすと組織は硬く腫れ上がる。それならがんの硬さは炎症がきわまった状態ではないのか。実際に多くのがんでは炎症性のサイトカインが検出されるのだから、がんと炎症とは無関係とはいえない。

がんの研究で有名な分子生物学者のロバート・A・ワインバーグ（一九四二年―）はその著書『がんの生物学』のなかで、「多くの炎症状態は腫瘍促進の役割を果たす」また「がんは慢性炎症の部分に生じる」と書いている。

確かにがんは、肝炎やすい炎、大腸炎、胃炎、胆のう炎などのような慢性炎症の部位に生じることが多い。ヤケドの炎症のあとには皮膚がんが発生しやすいこともよく知られている。またアスピリンのような抗炎症薬はがんの罹患率を抑制する。これらの事実からみても、がんは炎症とつながりが深いことがわかる。

近年、発がんに対する考え方は、多段階発がん説が一般的になっている。以前は、がんは発がん物質による遺伝子の突然変異で発生すると考えられていた。ところが現在は、もっと多くの複雑なプロセスを経て発生すると考えるようになっている。そのためワインバーグも、炎症は腫瘍進展に対してあくまでも付加的な役割を担っているに過ぎないと説明する。

しかし私は、がんそのものが炎症ではないかと考えてみた。炎症自体は病気ではない。生体の自己防御的な生理反応である。するとがんも病気ではなく生理反応の一つだと捉え直すことができるはずだ。

そもそも病気とは、何らかの病因があって病態としての症状が現れたものである。つまり発症のメカニズムをさかのぼっていくと、必ず何らかの根本原因にたどりつく。逆にいうとその原因を取り除くことができれば病気も消えることになる。だが今の医学では、まだがんの病因が特定できていないのである。

ワインバーグも当初はがんの病因はいずれ特定の遺伝子に還元され、自身の専門である分子生物学で征服できると期待していた。しかし研究すればするほど、がんの共通項など見つからないどころか、さらに発がんのしくみは複雑さをきわめていった。そのため彼は「がんは規則性の全くない複雑なカオスの世界だ」といって嘆いている。

だがここで「がんは炎症である」と捉え直してみると、「アシンメトリ現象」による背骨のズレが炎症を引き起こしていること、そしてそのズレの規則性こそが、全てのがんの共通項になる可能性が出てくるのだ。

2 ハルステッド手術の功罪と帯状疱疹

ではまず、ワインバーグを散々悩ませた、がんの発生のしくみから考えてみよう。

がんは細胞の問題だから、体中のあらゆる部分に発生する。それならば、がんが発症する部位を決定しているのは何だろう。なぜそこにがんができたのか。乳房に、肺に、胃に、子宮にがんができたのはどうしてなのか。

　医学的には、それぞれホルモン、タバコ、ピロリ菌、ウイルスなどのせいだと説明されてきた。仮にその通りだとしても、その乳がんはなぜ右の乳房にできたのか、あるいは左の乳房にできたのか。さらに左右どちらかであっても、なぜ乳房の上のほう、真ん中あたり、下のほうのその場所に発症したのだろうか。この疑問に対して、私が納得できるほどの明解な医学的説明を聞いたことがない。

　そこで、がんの発症部位を決定しているのは背骨のズレではないかと考えてみる。背骨のズレによる機械的な刺激は、必ずその周辺に何らかの炎症を引き起こす。その炎症が続くことによって、その部位にがんが発症するのではないか。もしそうなら、がんの発症部位を支配している神経を中枢に向かってたどっていけば、そこで大きく背骨がズレていることも予測できるのだ。

　現在の乳がん治療では、患部の部分切除だけして、できるだけ乳房を残す温存手術が普及している。しかし一昔前までは、乳房だけでなくその下の胸筋まで拡大して切除するハルステッド手術が一般的だった。私の周りにもこの手術を受けた人が何人もいる。彼女たちは胸筋が切除されて肋骨が浮き出ているので、正中線がズレているのがはっきりとわかる。しかもそのズレた位置と、乳がんの発症部位とが完全に一致しているのだ。これはつまり胸椎のズレが乳がんの発症部位を決定していたことの裏づけともいえる。

ただしここで注意が必要だ。背骨がズレるのは左一方向だけだが、その影響が体の左だけに出るわけではない。椎骨が左にズレると、その真下にある椎骨は形としては右にズレた状態になる。すると体の右側に機械的な作用を及ぼすことがある。要するに椎骨がズレる方向は左だけだが、がんは体の左右のどちらにでも現れるのだ。

このようながんの発症のしくみは、帯状疱疹ともよく似ている。もちろん帯状疱疹の原因は体内に潜伏している帯状疱疹ウイルスである。そのウイルスが免疫の低下などがきっかけとなって暴れ出す。すると頭や顔、胸、背中、腰、お尻など特定の神経上で発症する。

それではなぜ、帯状疱疹は特定の神経上でしか発症しないのか。免疫低下で発症するのなら、場合によっては全身に発症してもおかしくない。ところが実際には体の一部でしか症状は出ない。その部位を決定しているのが背骨のズレで、帯状疱疹が発症するのは、背骨のズレによって機械的な刺激を受けている神経上なのである。

しかしがんとちがって、帯状疱疹の発症に関与しているのは発痛タイプのズレである。そのためズレによる症状も帯状疱疹の痛みとして現れる。しかも背骨のズレそのものが免疫低下を引き起こすことで発症を促進するので、事態はさらに厄介だ。

そして実は乳がんにも全く同じメカニズムが働いていると考えられる。そこで乳がんについてもう少し掘り下げて考えてみたい。

3　ブラジャーは乳がんの危険因子なのか?

友人の皮膚科医の話では、近年はブラジャーのバンドが当たる背中の部分にメラノーマ（悪性黒色腫）が増えているそうだ。メラノーマといえば、発見されたときにはほぼ転移しているといわれるほど悪性度の高い皮膚がんである。本来は日本人のような有色人種には少なくて白人に多いがんだ。特に紫外線量の多いオーストラリアに住む白人が発症しやすいことで知られていた。しかしそれもUVカット商品などのおかげで徐々に減っているらしい。

それなのになぜ日本女性にメラノーマが増えているのか。しかももっとも紫外線の当たらない下着の内側の部分に発症しているのはなぜだろう。ブラジャーで慢性的にこすられた刺激が原因ではないかと説明する医師もいる。だが摩擦の刺激が原因なら、鼠蹊部などは色素沈着するほど下着でこすられているのだし、電動歯ブラシの普及で歯肉がんが増えたとも聞かない。だからこの説明では納得できないのである。

一昔前までは、ホクロががん化してメラノーマになるともいわれていた。現在ではこの説も否定されているが、ブラジャーのバンドの当たる部分に大きなホクロができている女性は多い。

本人は気づいていなくてもこれはかなりの確率なのだ。

私の知る限りでは、そういうホクロは背骨のズレによって刺激された神経支配の領域にできていることが多い。これは背骨のズレによる発がんのメカニズムと同じなのである。それなら背中のメラノーマも胸椎のズレによって発症していると考えることができる。きついブラジャーを着けていると、バンドの部分を支点にして胸椎が大きくズレる。そのことがメラノーマの発症をより助長しているはずだ。

ブラジャーの着用は乳房をホールドして外観を整えるためだが、体幹を締めつける作用がきわめて強い。その締めつけられた部分で胸椎が大きくズレるだけでなく、体幹部の血流が阻害されたり、呼吸が小さくなったりといったデメリットも多い。ブラジャーの着用時間が長いと乳がんの発症率が上がるデータも見たことがある。

ところがある調査によると、日本女性の三分の一は二四時間ブラジャーを着けたままだという。ブラジャーと乳がんの関係は医学的にも研究されてきたが、未だ明確な形での結論には至っていない。そのためブラジャーの着用が危険視されることはない。

しかしブラジャーが胸椎のズレを増幅させている事実を考慮すれば、ブラジャーの着用は十分に乳がんの危険因子になり得る。それだけではない。女性の肺がんの発症にも、同じメカニズムが働いていると考えられるのだ。ブラジャーを着けることには潜在的に不安を感じる女性もいるはずだが、特に左の肩ひもが落ちやすい人は「アシンメトリ現象」の傾向が強いので注意が必要だ。

また乳がんの発症には胸椎のズレだけでなく腰椎や骨盤のズレも関係している。このしくみは少し複雑だ。だが背骨のズレによる影響の全容を知るうえでも重要なので説明しておきたい。

まず乳がんの発症には腫瘍促進物質としてエストロゲンが関係している。エストロゲンは卵巣から分泌される女性ホルモンだ。エストロゲンの分泌を抑えると乳がんの発症率が急落することも疫学上証明された事実であるから、エストロゲンの関与は疑いようがない。

現代の女性は昔の世代よりも初潮が早く妊娠回数も減っている。そのため月経期間が極端に長くなった分、エストロゲンの分泌期間が長くなって乳がんのリスクが上がったといわれる。それなら妊娠期間の末期はエストロゲンの分泌量が最大になるのだから、妊娠回数の多かった世代ほど乳がんのリスクが高くなるはずだ。しかし結果はちがう。この矛盾に対して、妊娠期間中のエストロゲンはその後の乳がんのリスクを下げる働きがあると説く学者もいる。だが私は分泌期間の長さよりも、背骨のズレの影響でエストロゲンの分泌が異常になったことが重大だと考えている。

例えば現代の日本では、月経痛や月経異常で苦しんでいる女性は多い。この月経痛は腰椎や骨盤のズレによる発痛作用である可能性が高いのだ。さらに骨盤のズレによって卵巣にひねりの力が加わると、エストロゲンの分泌異常が引き起こされる。その結果、月経が異常になる。そうやってエストロゲンが過剰に分泌され続ければ、それが腫瘍促進物質として乳がんの発症にも寄与してしまうのである。スカートを履いて歩くとスカートがくるくる回ってしまうような人は、骨盤がズレているので注意しておきたい。

では乳がんと同じ胸部に出る他のがんはどうだろうか。統計を見ると、肺がんは罹患者数も死亡者数もともに増え続けていることがわかる。これまで行われてきた早期発見も早期治療も効果がなく、他のがんに比べて死亡率が非常に高い厄介ながんなのである。そこで肺がんについて、さらに詳しく見てみよう。

4　肺がんは抗がん剤で治るのか

文豪ゲーテは「芸術は最高のものだけでいい」といった。確かにその通りである。ところがこれが医学となると、最高イコール最善なわけではないところが悩ましい。

先日もある新聞に、肺がんで妻を亡くしたがんセンターの医師の手記が載っていた。彼の妻は早期の段階でがんが見つかった。抗がん剤治療で一旦はがんが消えたのに、再発して亡くなってしまった。その亡き妻を思慕する内容である。

まずこの記事を読むといくつかの疑問が浮かんでくる。国立がんセンターといえば、日本ではがん治療の総本山である。その病院の医師の妻なら、かなり早期の段階でがんが見つかったはずだ。そのせいもあって、抗がん剤で一度はがんが消えたのだろう。しかし消えたはずのがんがなぜ再発したのか。がんセンターの医師の妻なのだから最高の治療を受けたはずなのに、なぜ助からなかったのだろうか。

医学用語は一般の人間にはなじみがないものが多い。しかもがん治療で使われる用語はさらにわかりづらいので少し説明が必要だろう。

抗がん剤治療の現場でよく使われる言葉のなかでも特にわかりにくいのが「奏効率」という表現だ。抗がん剤の「奏効率」とは、投薬によってがんの面積が半分以下に縮小した状態が、一か月以上続いたときに有効だと判定するものである。ここで多くの人は、薬が有効なのであれば当然それでがんが治るものだと勘ちがいしてしまう。しかしいくら抗がん剤の「奏効率」が高くても、治癒率が高くなるわけではないのだ。

通常、検査で発見されるがんの大きさは、早期でもせいぜい直径一センチほどである。だがたった一センチのがんであっても、そこには一〇億個ほどのがん細胞がある。抗がん剤治療で、がんが消えたとされる状態が「完全寛解」だが、肺がんのような固形がんが抗がん剤だけで「完全寛解」することはほとんどない。例え「完全寛解」しても、がん細胞が完全にゼロになっているわけではない。その残ったがん細胞が再び増殖を始めれば、検査上では再発したことになってしまう。

がんと抗がん剤とは畑に生えた雑草と除草剤の関係に似ている。雑草を根絶やしにしようとして除草剤を撒けば、大事な作物までいっしょに枯れる。その後、畑がまた雑草に覆われてしまうと畑が台無しになる。つまり患者本人は生き残れないのだ。

当然のことながら、がん治療の最大の目的は死亡率の低下である。現在、肺がんの死亡率は八割を超えている。だが逆にいうと二割近くの人は助かっている計算になる。しかし果たして肺がん患者が抗がん剤治療で助かることがあるのだろうか。どんなに早期で見つかっても、肺がん患者が抗がん剤で助かった例は聞いたことがない。逆に抗がん剤治療を始めた途端、あっという間に亡くなった例なら何度も耳にしている。実際にがんセンターの医師の妻でさえ早期発見でも助かっていないのだ。誤診率等を考慮に入れたとしても、やはり肺がんの死亡率は依然として高いままなのである。

5　医療被曝で肺がんになる？

人はなぜ肺がんになるのだろうか。「肺がんの原因は？」と問われれば、ほとんどの人は夕バコ、つまり喫煙のせいだと答えるだろう。医師たちも喫煙によって肺がんが引き起こされるのは疑いようのない事実だといい続けてきた。ところが日本人の喫煙率と肺がんの関係を調べると、これまた新たな事実が浮かび上がってくるのである。

統計によると、男性の喫煙率は一九六五年を境に急減している。女性は一四％前後で大きな変化はない。それなのに男女ともに肺がんの罹患率だけは急増しているのだ。

それではなぜ、タバコを全く吸っていない女性の肺がんまで増えたのか。その矛盾を解消するため、女性の肺がんは副流煙による受動喫煙が原因だとする説が浮上した。そうしてＷＨＯの主導による嫌煙権運動が世界中に広がっていった。その結果、めでたく男性の喫煙率は大幅に下がったのに、なぜか女性の肺がんは一向に減らなかったのだ。女性の直接喫煙率がそれほど上がっているわけでもないのに、相変わらず肺がんの原因はタバコだということになっている。

しかし統計の数字を見る限り、肺がんと喫煙率との相関関係はない。がんの発症までに三〇年のタイムラグがあるからだと説く人もいるが、それでは今世紀に入ってもなお肺がんが増え続けている理由の説明にはならないのである。

また統計上、タバコをひとくくりにしている点もおかしい。昔のタバコと今のタバコではその成分は大きく異なる。私がタバコを吸い始めたころは、和田誠がパッケージをデザインしたハイライトという銘柄が全盛だった。しかし発売当時のハイライトはもっともタールが少ないタバコだったが、今では重いタバコの部類である。一般的にはニコチンやタールの量が極端に少ない軽いタバコが主流になっているのだ。それでも依存性に変わりがないとしたら、ニコチンに代わる別の依存物質が入っている可能性もある。その成分が強烈な発がん物質であったなら、単に喫煙率だけで比較しても統計として意味がない。

では喫煙と肺がんとは相関関係がなかったとすると、肺がんが増えている理由は何なのか。私はその原因の一つが医療被曝だと考えている。当の日本人は知らないが、日本が世界一の医療被曝大国であることは欧米では知られた事実なのである。

われわれ日本人は子どものころから毎年、定期健康診断で胸部エックス線撮影を強制的に受けてきた。社会人になってもそれが定年まで続く。このような国は他にはない。胸部エックス線の被曝による被害は、日本の医療の現場では軽視されている。しかし医療被曝の危険を重要視する海外では、胸部エックス線撮影一回ごとに五・四％も肺がんの発生割合が増えるというショッキングなデータまで公開されているのだ。

しかも胸部エックス線で被曝するのは肺だけではない。食道も被曝するし、女性ならば乳房も同時に被曝している。試しに部位別がん罹患者数を調べてみると、二〇〇八年の肺がんは男性六万七六一四人で、女性二万九六六一人で男女の数字に極端な開きがあることがわかる。以前ならこの差は喫煙率の差だといわれていた。ところが喫煙が関係ないとなれば理由は別にある。

肺がんの原因を胸部エックス線による被曝だと考えると、肺がんと食道がんと乳がんは、同じ胸部のがんだと考えることができる。そこで女性の乳がん罹患者数五万九三八九人と肺がん二万九六六一人と食道がん三二四八人を合わせると、九万二二九八人となる。男性の肺がん六万七六一四人と食道がん一万七三〇八人を合計した八万四九二二人だから、これで男女での罹患者数に大きな開きはなくなる。

また乳がんは肺に転移しやすいがんでもある。これは発見の時期がちがっただけで、転移ではなく同時発生したがんの可能性もある。そのように考えていくと、胸部エックス線による被曝と発がんとの関係のつじつまが合ってくる。もちろん統計数字は扱いが難しいので、これはあくまでも私の推論だ。

しかし医学誌『ランセット』に掲載されていた研究では、日本人の七五歳までの発がんのうち医療被曝が原因とされるのは三・二%にもなるらしい。この数字は私の予想よりは少ないが、それでも他国に比べると圧倒的に多いのである。

だが医療被曝の肺がんへの影響は、喫煙ほど積極的には研究されていない。医療被曝による健康被害の証明は医療の存在の根幹を揺るがす問題となる。肺がんの早期発見のメリットと、医療被曝による肺がんのリスクとは相容れない問題でもある。しかし単に肺がんの死亡率だけをとっても、どちらを選択するかは考えるまでもない。

肺がんの原因はタバコに含まれる発がん物質なのか放射線なのか。それは私が断定できることではない。しかし乳がん同様、その発症には「アシンメトリ現象」による胸椎のズレが介在している。そしてタバコや放射線は発がんに直接結びつくだけでなく、それらが背骨のズレを誘発していることも知っておいていただきたい。

6　重病ほど痛みの警報装置が作動しなくなる

がんは痛みなどの自覚症状が現れにくい病気である。だからたまたま受けた検査でがんが発見されたときには、すでに末期だったということが起きる。

本来なら痛みは体の異常をすばやく知らせる警報装置のような役割である。ところががんの場合、その発症は生命にかかわる一大事なのに、なぜ痛みを出して知らせてくれないのだろうか。

実はがんを考えるうえでもっとも重要なポイントは、この警報装置が作動しない点である。どうやらがんには、警報装置を解除してしまう特殊な鎮痛作用があるようなのだ。

今の医学では痛みについては研究され尽くしている。だが逆に、痛みを出さないものに関しては全く研究されていない。医学とは症状を集大成した学問だから、症状のない疾患に対しては大きな見落としがある。しかもなぜか重大な疾患ほど、なかなか症状が出ない。がんが発症するときも、鎮痛タイプの背骨のズレによって内因性オピオイドが働いているから痛みがない。これがもし発痛タイプのズレであれば、経過は大きくちがったものになる。

例えば乳がんなら、がんとして発見されるまでに一〇年以上もかかる。発痛タイプであれば、この一〇年の間に胸や背中に激しい痛みが出ていたはずだ。しかし乳がん患者のなかにそのような痛みが続いていた人はいない。みな胸椎が極端に大きくズレているにもかかわらず、ふしぎなほど自覚症状がないのだ。しかしある瞬間から急にそれが激痛に変わることがある。この変化のきっかけは何だろう。

多くの人にとってがんのイメージは、耐え難い苦痛の末に死に至る恐ろしい病気だろう。実際一昔前までは、激しい痛みが出ても疼痛緩和にモルヒネが使われることはなかった。そのため激痛で絶叫してあごの骨が外れたとか、力まかせにしがみついて病院のベッドの鉄パイプを曲げてしまったなどといった悲惨な話も聞いた。そういう話が一般にも浸透しているせいで、がんは怖い病気だ、がんにだけはなりたくないと思っている人が少なくない。

ところが最近では「本来のがんは痛くない。抗がん剤や放射線治療を行ったから痛みが出たのだ」と発言する医師が幾人も現れた。その話が一般書にもなっている。これは本当なのだろうか。

確かにがんは早期の段階では全く自覚症状がない。何らかの自覚症状が出たときには、かなり進行しているものである。私の知人にも、がんが胃をふさぐほど大きくなるまで気づかなかった人がいた。そこまで進行していても痛みは全く出ていなかったのだ。

あるがんの専門医の著書では、がんが痛いのはがんが知覚神経に当たるせいで、痛みを感じないのはたまたまそばに知覚神経がなかったからだと説明されていた。

だが例え直径一センチほどの初期のがんでも、それが知覚神経に当たらないとは考えられない。ちょっとした胃潰瘍ですら痛みがあるのに、がんが胃をふさぐほど成長していながら知覚神経に届いていなかったはずがない。やはりがんの痛みが出るのは、病院での治療のせいだとする説は正しいのではないか。

ではなぜがんそのものは痛みを出さず、抗がん剤や放射線治療を開始した途端に痛みが出るのだろうか。そのメカニズムが知りたいものだ。

がんによる痛みといえば、がんが内臓器官や神経に浸潤したことによる痛み、骨転移や血管閉塞による痛み、手術による神経損傷、抗がん剤や放射線治療の副作用である。

しかしこれらが本当にがんの痛みの直接的な原因なのだろうか。もしがん細胞が知覚神経を巻き込んで痛みを出すのであれば、進行したがんの患者は全員必ず激痛に襲われることになる。実際にはそうならないのだから、痛みの原因は別にある。

本来なら、がんを発症させる背骨のズレは鎮痛タイプであるから痛みはないはずだ。それが急に発痛タイプに切り替わったのなら、抗がん剤や放射線治療がきっかけとなって、鎮痛作用が解除されたと考えられる。つまりがんの治療によって寝た子を起こしてしまったのだ。

元々がんを発症させるほど極端に背骨がズレているのだから、それが発痛に転じたら言葉にできないほどの激痛になるのも当然だろう。しかも抗がん剤治療を受けると、骨格筋の緊張が増して筋肉の引きつりが一層強まる。すると背骨のズレ幅がますます大きくなるから、痛みも激しさを増していく。これががんの痛みといわれるものの実体なのである。

7　医学の難問を物理で解いてみよう

先日またしてもがんの夢を見た。夢のなかではいつもの野太い声の主が、「がんはなぜ自然に治らないのか」と私に問いかけてきた。彼はがんが治らない理由も理路整然と説明してくれた。その話に「なるほど」と思った瞬間、目が覚めた。あわてて内容を思い出そうとしたが、あれだけ鮮明だった話は一瞬にしてぼやけてしまった。残されたおぼろげな記憶をつないでみると、多分こんな話だったと思う。

頭を打ちつけてできたたんこぶは、なでているうちに痛みが薄れ、いつしか自然に消える。しかしたんこぶもがんも炎症なのに、がんはなぜ自然には消えないのか。それは炎症を引き起こす原因となっている背骨のズレが解消されないままだからだ。

確かにたんこぶ程度の炎症なら必ず自然に治る。しかしたんこぶに継続的にダメージを与え続けていれば炎症が引くことはない。いずれたんこぶががん化する可能性すらある。がん化した後もさらにダメージを与え続けていれば、そこにどんな治療を施したところで治ることはないだろう。

このたんこぶと同じで、がんという炎症が自然に消えないのも、ズレたままの背骨が患部にダメージを与え続けているからだ。その状態でいくら免疫が働いてもがんは消えない。それなら、その炎症の元になっているズレた背骨を元の位置に戻してしまえば、あえて免疫を高めなくてもよい。本来の免疫機能が働いてがんは自然に消える。つまりがんは、受験科目でいえば化学ではなく物理の問題だったのだ。

私が夢で見たのはこんな話だった。これが本当なら正に夢のような話である。そこで改めて、がんはなぜ治らないのかについて考えてみた。

医学の世界では「治る」という言葉の使い方が非常にあいまいだ。そのため意図するしないにかかわらず、一般の人たちにさまざまな誤解を与えている。鎮痛剤で痛みが止まれば、それで病気が「治った」と思う人も多い。そのように症状だけを取り去ることを姑息的治療というが、本来であれば、病気の原因を取り去ることができた場合にのみ「治る」「治った」というべきなのだ。

例えばマスコミに登場する医師たちは、がんはすでに「治る」病気になったと豪語する。だが「治る」といわれるがんは転移していない早期のがんなのである。転移してしまったがんを治すのは未だに難しい。だからがんが「治る」ためには、早期発見が第一の前提条件だというのだ。

しかし原発がんも転移がんも同じがんなのに、どうして転移するがんは治らないのだろうか。治ったといわれる早期のがんも、本当に治っているのだろうか。転移もしていない早期のがんが治ったといっても、それは元々がんではなかったのかもしれない。がんの根本原因すらわかっていないのだから、そう疑われても仕方がないだろう。

8　これでがんはカオスの世界から抜け出せる

がんの最大の問題は転移である。がんが転移するかしないかで患者の生存率は大きく異なるからだ。ところががんがいつどのようにして転移するかはまだわかっていない。そのせいで、乳がんなら少なくとも治療後一〇年間は再発や転移の恐怖におびえながら暮らすことになる。

ではどの段階からがんの転移が始まるのか。現在の医学でははっきりとは予測できない。多分、個々のがん細胞の転移能力次第だと説明されるのだろう。

しかし私は、がん細胞が分裂した当初からすでに転移は始まっていると思う。するとほとんどのがんは、血管やリンパ管を介してたちまち全身に転移することになる。ところが現実には転移するのは一部のがんであり、ある程度は転移先の臓器も決まっている。また転移のタイミングもさまざまで、あっという間であったり数年先であったりする。こういった矛盾をどのように解釈したらよいのだろうか。

通常なら、がん細胞は血流に乗って全身をぐるぐると巡っている。しかしいつまでも血流に留まることはできない。いつしかマクロファージのような免疫細胞に捕食されてしまう。

だが背骨がズレると、そのズレによって血流の悪くなった部分にがん細胞が留まりやすくなる。そこで初めて転移の条件が整ってがんは増殖を始める。要するに体内環境に背骨のズレという条件が加わることで、転移のタイミングに時間差が生じるのである。

このように考えていくと、背骨のズレの有無が転移の指標となり、いつどこに転移するかもだいたいの予測が立つ。そもそも背骨がズレてさえいなければ免疫も正常に働くから、がんが発症することもなかったはずだ。

がんというのはいつ転移・再発するかがわからないところに恐ろしさがある。悪性度に大きなちがいがあることも、より一層不安をかきたてる。しかし実際にはがん細胞にはそれほどの転移能力も悪性度のちがいもなさそうだ。

われわれの体内では、日々おびただしい数のがん細胞が生まれては転移を試みているが、成功するのはごくわずかである。そこに背骨のズレによる血流の阻害という条件がそろって初めて、がんの発生と転移が可能になる。逆にいえば、常にズレのない状態にして体内の血流環境さえ整えていればよいことになる。

通常は背骨がズレても、そのズレ幅が小さければ背骨は自然に正しい位置に戻る。ところが鎮痛作用が働くほどの大きなズレだと、なかなか元の位置には戻らない。一〇年も二〇年も背骨がズレたままで暮らしている人も珍しくはない。場合によっては三〇年以上もズレによる慢性的な炎症を抱えている人もいる。彼らは自分の背骨がズレている認識がないから、痛みさえなければ炎症があることにも気がつかない。また慢性炎症があると活性酸素が出続けるため、がん化も促進されるのだ。

ワインバーグのいう通り、がんは慢性炎症の部位に生じるのであれば、背骨のズレによる慢性炎症の部位にがんが生じると考えてもおかしくない。さらにがんは炎症の結果ではなく、がんそのものが慢性の炎症にすぎないと考えるなら、その病因を取り除くことでがんの可逆的変化が起きるのも至極当然のことだろう。

現在の病院でのがん治療は、がん細胞を正常細胞に置き換えられるわけではないから、不可逆的なものである。そこが大きな問題だ。しかし背骨のズレががんの共通項だと認識されれば、がんは制御不能なカオスの世界から、一挙にシンプルな秩序の世界へと還元できる。美術家の視点で「アシンメトリ現象」を手がかりにしてがんという病気を俯瞰してみると、私にはそんな光景が浮かんでくるのである。

第10章

宇宙ではいつから左が生まれたのか

『バベルの塔』（ポール・ギュスターヴ・ドレ）

フランスの画家による聖書の挿絵。バベルの塔を背景に天を仰いで嘆く人々の姿が描かれていて終末感が強い。「アシンメトリ現象」が人体に描くらせんとバベルの塔のらせんが同じ方向になっている点に注目したい。

1　アリストテレスの時代は人体はアシンメトリなのが常識

「アシンメトリ現象」は体の左側だけに現れる。この話をすると必ず、「どうして左なのか」と質問される。それはだれよりも私が一番知りたいことである。

そもそも何をもって左とするのか。あのカントですら、言葉だけで左右を伝えることはできないといっていた。しかも「アシンメトリ現象」の左とは、単なる左右においての左のことではない。本質的に左右がちがうという意味での左である。いい換えるなら、相対的ではなく絶対的な左のことなのだ。

例えばニュートリノが左巻きなのはわかっていても、それが「なぜ左なのか」などだれにも答えられないだろう。従って「なぜ左なのか」とは、「宇宙ではいつから左が生まれたのか」と問うようなものでもある。これほどの難問をみな気楽に質問してくるが、本当に答えを知りたければ、素粒子物理学の南部陽一郎博士にでもたずねてみなければならない。南部博士は自発的対称性の破れのしくみを発見したことでノーベル賞を受賞したのだから適任だろう。

しかし私に向かって「なぜ左なのか」と訊く人は、そこまで難しい答えを期待しているわけではない。「右利き・左利きではどうか」「ショルダーバッグのかけ方や寝方でちがうのか」「南半球ではどうなのか」といったようなレベルの話なので、全てに「関係ない」と即答できる。少し難しい質問は、「地球の自転に関係はあるのか」だった。これはさすがに地球を逆回転させて実験することはできないので、「わからない」と答えるしかなかった。

そもそも人体が左右対称だというのは現代人の思い込みである。人体は左右非対称であることが当たり前の時代もあったのだ。

万学の祖とうたわれた古代ギリシアのアリストテレスは、著書に人体の左右差についていくつもの考察を遺している。「体の右側は左側より勝っている」という記述は、『アリストテレス全集』の『動物進行論』『動物部分論』『ニコマコス倫理学』などの随所に見られた。これは当時の趨勢であるピタゴラス学派の一般的な考え方だったようだ。しかしアリストテレスは、体の左右の非対称性についてさらに深めた考察をしている。

そのなかでも「人体の右側よりも左側が冷たい」と書かれているのが興味深い。よほど極端でなければ、この時代に体温の左右差を客観性をもって知ることはできなかったはずだ。体温を計るとなると、温度計を発明したガリレオ（一五六四―一六四二年）の登場を待たねばならない。

だが「アシンメトリ現象」なら、左半身のほうが自覚的に冷たく感じられるものである。従ってこの記述からは、アリストテレス自身の体に「アシンメトリ現象」が現れていたことがうかがえるのだ。

古代ギリシアでは人間の体が左右非対称であることは常識だったから、左右のちがいに関する記述も多く見られる。しかし人間は非対称だからこそ、神の御姿は左右対称であるべきだと考えるようになった。その結果、ギリシア彫刻では左右対称が美の基準であり、理想像となったのである。

だが時を経るうちに理想が現実を追い越した。そして人間の体も左右対称だと認識されるようになり、それが常識として広まった。そしていつしか人体の左右非対称性について語られることもなくなった。

このような常識の転換は、ルネッサンス期に古代ギリシア・ローマ時代の理想へと回帰したことでさらに強化され、そのまま定着して現代に至る。だが美術の世界はそれでよくても、医学を含めた科学が現実を無視したままでは困る。まずは常識を疑って目の前の現象を直視するところから始めなければ、新しい発見も進歩も望めないはずなのだ。

2 神はなぜ内臓の形を左右非対称にしたのか

人間の体の形は左右対称である。しかし内臓の形は左右非対称になっている。どちらも当たり前のこととして認識しているので、だれも気にも留めない話だろう。ではなぜ体の外側は対称で、内側は非対称の二重構造になっているのか。この疑問からは思いもよらないことが見えてくるのである。

　進化の過程で体の形が左右対称になったのは、獲物を効率よく捕まえるためだといわれる。その一方で、内臓がなぜ左右非対称なのかは理由が見当たらない。ひょっとするとわれわれ人類は未だ進化の途中であり、内臓もこれから対称な形になっていくのだろうか。

　だが実際には対称に向かうどころか、内臓はより一層、非対称に向かっている。しかも対称であるはずの体の外側の形まで、近年は急激に左右非対称になっているのだ。なぜこのような変化が起きるのか。この謎を解く前に、まずは内臓について考えてみよう。

　日本語は語彙が豊富な言語だといわれる。だが内臓を表現する言葉となると、古くはワタとキモしかなかった。そこからは、日本人は内臓の存在など重視していなかったことがわかる。

　魚をさばくとき、私たちはハラワタをみな無造作に捨ててしまう。そして残った身の部分を切りそろえて刺し身などにして供する。逆にハラワタだけをきれいに盛りつけてみても、だれも箸をつけないだろう。肉食動物なら獲物のハラワタから真っ先に食べるものだが、たいていの人はハラワタを見せられると食欲をなくすはずだ。

　ハラワタはどうも見た目が悪い。これは神の美意識でも同じなのだろうか。神は内臓が人目につかないように、体のなかにしまい込む形で人間を創った。しかも内臓の配置も整然としているとはいいがたい。急な来客で、あわてて部屋に散らかっている物を押し入れに突っ込んでふすまを閉めたように見える。今どき押し入れに例えるのもどうかと思うが、昭和生まれの日本人にならリアリティがあるだろう。

押し入れだと見れば、横隔膜で仕切った上の段が胸腔で下のスペースが腹腔だ。胸腔には肺や心臓があり、腹腔には胃、腎臓、腸などが所狭しとしまい込まれている。なぜ上下二段に仕切られているのかも気になるが、さらにおもしろいのは内臓の対器官の存在だ。

対器官とは、肺や腎臓、卵巣、精巣のように左右が一つずつ対になっている臓器のことである。対器官は左右の両方が同じ機能をもっている。従って片方はもう一方の予備的な存在だと考えられ、それ以上の意味は見出されていない。しかし機能は同じでも、それぞれの形は左右で微妙にちがっている。ではなぜちがうのか。押し入れのスペースの都合なのだろうか。内臓の形を眺めているとそんな疑問が浮かんでくる。

3　らせんを描いて上昇する内臓

内臓に興味をもった私は、もっとしっかりと内臓の形を知りたいと思った。しかし医者でもない一般の人間が内臓の形を見るには、市販の解剖図に頼るしかない。ところがどの解剖図を見ても、お手本となる臓器を写したかのように、みな似通っていて参考にならない。本物の臓器は決して解剖図のようにきれいな形はしていないはずだ。胃などはたいてい下垂して変形しているし、臓器によっては老化で萎縮もしているだろう。まして解剖図のお手本になっているのは生きた健康体の臓器ではない。みな亡くなった人のものなのである。

私の考察もそういった解剖図を眺めたうえでの判断なので確定的な話ではない。それでも解剖図をいくつも並べて眺めていると、内臓の形にはある種の共通性があることがわかってきた。

例えば対器官は背骨を中心としてそれぞれが左右に振り分けられているが、左は必ず上（頭頂方向）にある。肺も腎臓も卵巣も、胎児の下降する前の精巣までもが左の器官は上に位置しているのだ。さらによく見ると、それらはみな一方向に旋回するような形になっている。その旋回は上に向かってトルネード（竜巻）のようならせんを描く。これが「アシンメトリ現象」の動きと符合しているのである。

こういった共通点は対器官だけの特徴ではない。心臓や胃といった単独の臓器にも、「アシンメトリ現象」と同じ方向のらせんの動きが見てとれる。心臓や胃は元々体の中心よりも左寄りに位置している。またどの解剖図でも、心臓や胃は旋回しながら上昇しているように見える。また左の肺は心臓に押しつけられたように変形している。

心臓の場合は、大動脈弓や肺動脈、心耳《しんじ》と呼ばれる部分も左側の位置が高い。その結果、心臓は先端部の心尖《しんせん》をつまんでクイッとひねり上げたような形になっている。さらに十二指腸も、胃へとつながる部分はやはり上昇するらせんを描いている。要するに、内臓の形からはことごとくらせんの動きが見てとれるのだ。

4　体の左右の重さのちがいが「らせん」の動きになる

先年、医師の二木《ふたき》隆《たかし》先生から、私が「アシンメトリ現象」について書いた本の感想をいただいた。先生は私の発見に当初から興味をもってくださっている貴重な存在だ。今回の手紙のなかで、「アシンメトリ現象」には内臓の重さの変化も関係しているのではないかとご指摘いただいた。

確かに内臓は左右で形や大きさが異なっている。胃などは食事の前後で重さが大きく変わるものでもある。内臓の重さが変化するなら、体の重さに左右でちがいが出るのも当然だろう。もし体の重さに左右差があるなら、力学的にも「アシンメトリ現象」のらせんの動きに影響するはずだ。

では実際には体の左右で重さにちがいはあるだろうか。ふだんから自分の体重に気をつけている人は多いが、左右の重さのちがいまで意識する人はいない。まして体の重さの左右差について研究している人など一人もいないだろう。私にも体の左右の重さをどうやって量ればよいかはわからない。しかし仮に左右の重さにちがいがあるものなら、「アシンメトリ現象」の度合いを測る一つの指標になるのかもしれない。

重さとは重力の大きさのことである。この重力に抗して立ち上がるため、人間の体では脊柱起立筋などが抗重力筋として働いている。「アシンメトリ現象」では左半身の抗重力筋が右よりも過度に緊張しているのだから、左半身は重くなっているはずだ。いい換えれば、左半身のほうが重たいから右よりも抗重力筋が緊張していると考えられるのである。

通常なら、体の重さの中心である重心は必ず対称軸上にある。ところが対称軸であるべき背骨が「アシンメトリ現象」によって左にズレれば、重心もまた左にズレる。それでますます左半身が重くなる。すると一層、左の起立筋は緊張することになってしまう。

このとき左の起立筋は抗重力筋として体を上に引き上げる。それと同時に回旋筋として体を右へ旋回させる。この両方の作用によって、体には上昇していくらせんの力が加わることになるのだ。

5　だれも知らない気象病のしくみ

私たちは日ごろ、内臓だけでなくさまざまな重さに耐えて暮らしている。なかでも日常的にほとんど気づくことがないのが大気の重さだろう。大気の重さとはいわゆる気圧のことである。この気圧の変化によって体調の変化を訴える人は少なくない。そのため気圧と体調の変化との関係は、何かと話題になることが多い。

なかには都市伝説的な話もあるが、医学的にもいくつかは研究され、近年は気象病などと呼ばれるようにもなっている。だがいくら医学的に新しい病名をつけてみても、気圧変動による体調変化のしくみが科学的に解明されたわけではない。

ところがここに背骨のズレという概念を取り入れれば、問題は一挙に解決するのである。

例えば古傷が痛むことで明日の天気がわかる人がいる。しかしそういう人の背骨のズレを解消すると、明日の天気がわからなくなる。古傷の痛みの実体は、単なるズレによる症状だったのだ。気圧の変化とは体にかかる重さの変化であるから、この変化で筋の緊張が増し、背骨のズレ幅が大きくなることで症状が出ていたのである。

では背骨は気圧が上がるとズレるのか、気圧が下がるとズレるのか。どちらなのだろう。結論からいえば、答えは「両方」なのである。

高気圧になると体にかかる重さが増すから、抗重力筋はふだんよりも余計に働くことになる。するとズレかけていた背骨が、筋の緊張によってさらに大きくズレて症状が出る。

それなら低気圧のときは体にかかる重さが減るのだから、楽になるかというとそうはいかない。「アシンメトリ現象」における左側の抗重力筋の過度な緊張は、気圧が低下した程度では弱まらないのである。

逆に右側だけ筋の緊張が弱まる分、相対的に見れば左の筋の緊張が強まったことになる。そうなると結果として背骨は左にズレる。結局、高気圧だろうと低気圧だろうと、天気の変わり目には背骨がズレやすくなるのである。

ただし高気圧と低気圧とでは背骨のズレる位置は微妙にちがってくる。ズレる位置のちがいはそのまま症状のちがいとなって現れる。統計的には高気圧のときはぜん息の症状が出やすくなるといわれているが、実はぜん息の症状は胸椎のズレによって起きていることが多い。胸椎がズレると呼吸のときに肋間筋が引きつるので、それがぜん息発作の引き金になってしまうのだ。

では低気圧のときはどうか。低気圧が近づくと目まいや頭痛などが起こりやすいが、目まいや頭痛は頸椎のズレが原因であることが多い。

頸椎の一番上の骨は環椎《かんつい》とも呼ばれ、特殊な形をしている。環椎の左右には椎骨動脈が通る穴が開いている。そして環椎以外の残りの六個の頸椎は、穴ではなく両端が半円状になっている。それらの形のちがいの影響で、頭蓋や頸椎のズレ方によって左右の椎骨動脈が圧迫されて血流が変化する。これが目まいや頭痛の原因になるだけでなく、耳閉や耳鳴りも引き起こす。このような状態では、後頭部からうなじにかけて赤いアザが浮き出す人も多い。

医学的にも、椎骨動脈の左右の血流のちがいによって目まいが起きることは知られている。だが頸椎がズレることで血流が変化することまでは知られていない。

実は今回アドバイスをくださった二木先生は目まいの専門家として著名な医師である。彼が学生のころに師事していた桧学《ひのきまなぶ》医師は、目まいと脊柱起立筋との関係を研究していたそうだ。そこで桧先生の著書を読んでみると、「脊柱起立筋の緊張を弱めることで、目まいの症状に変化が現れた」と書かれていたのである。この実験結果は、脊柱起立筋などの抗重力筋の緊張が、背骨のズレを助長していることの証明ともいえるだろう。

6　子どもに歯列不正が増えたのはなぜか

ここでみなさんに舌のエクササイズをしてもらおう。舌先で上あごの天井を左右になぞってみてもらいたい。なぞるときはなるべくのどに近い部分がよい。すると左側の天井が右よりも高いと感じる人がいるはずだ。そういう人は左の歯茎が右に比べて垂直になっている。これは本来ドーム型になるべき天井が左だけ高くなったせいで、左の壁が垂直になっているのだ。

このように、「アシンメトリ現象」では口腔内の形も左右差が大きくなっている。この形の変化がそのまま歯並びにも影響しているようなのだ。

そこで興味がわいた私は、歯列不正と口腔内の形態的変化の関係を調べてみた。ある歯科クリニックにご協力いただいて、大量の歯型を見せてもらったのである。その結果、歯列不正はランダムに起きているのではなく、何らかの決められた方向に力が作用していることがわかった。

例えば近ごろはあまり見かけなくなったが、昭和のころなら八重歯のある子は珍しくなかった。八重歯とは側切歯と第一小臼歯との間に遅れて生えてくる犬歯のことだが、歯と歯の間が狭いとはみ出して生えるから八重歯になる。

しかしその八重歯の生え方にも「アシンメトリ現象」だと思われる規則性があった。八重歯は左右一本ずつ生えることが多いが、片方だけ生えることもある。その場合は左だけ生えているケースが多いようなのだ。また二本とも生えている場合では、左の八重歯のほうが右よりも上の位置から生えている。

実は八重歯だけでなく、歯列不正では歯と歯が重なるようにして生えていることが多い。今の子どもは昔に比べてあごが小さいから、スペースの都合で歯列不正が増えたのだといわれる。ところが歯型を調べてみると、歯と歯の重なり方にもある一定の方向性が存在していた。左の歯が右の歯に覆いかぶさるようにして生えているのだ。また上顎の歯茎を観察すると、しぼり上げたように幾重にも斜めの筋目《すじめ》が入っている。

これらのことからは、歯列にも内臓と同様にらせんの力が働いていることが見てとれる。「アシンメトリ現象」によってこのらせんの力が強く働くと、上顎骨や歯茎が変形する。その影響は後に下顎にも及ぶ。これが歯列不正の発生のしくみではないか。すると今の子どもに歯列不正が増えたのも、「アシンメトリ現象」が子どもに増えているせいなのかもしれない。

最近は歯列不正だけでなく顎関節症も増えている。顎関節症では「口を開けるとあごが痛い」「口が大きく開けられない」「口の開閉時にあごからカクカクと音がする」といった症状が出る。その原因は筋肉や関節の何らかの障害や心理的ストレスであるともいわれるが、近年は歯列不正も原因として問題視されているようだ。

しかし「アシンメトリ現象」で上顎にひねりの力が加われば、咀嚼

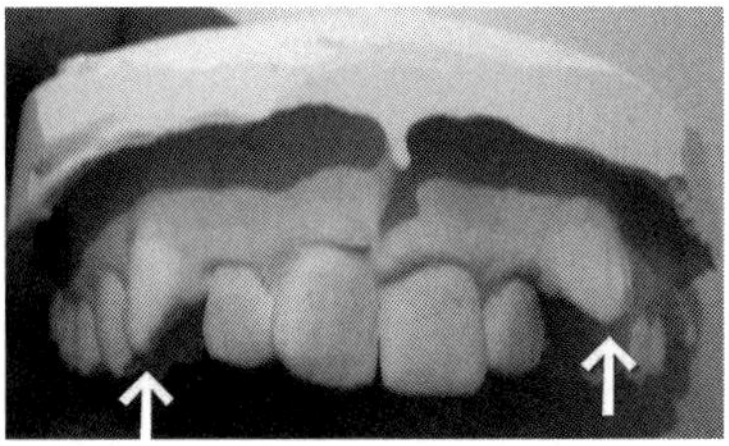

八重歯の左右差

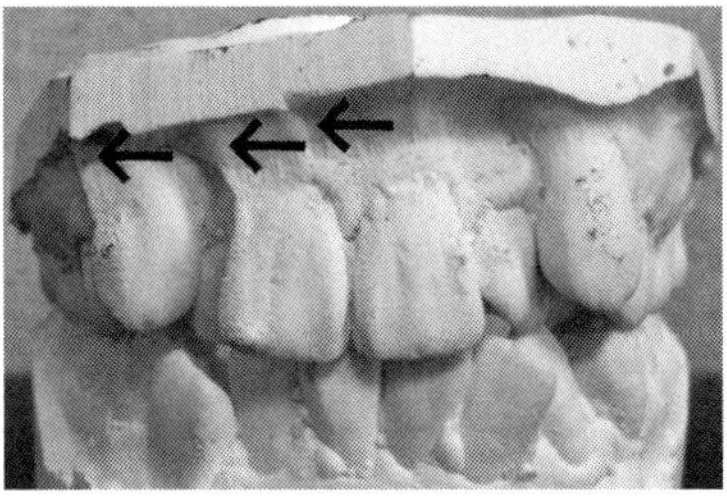

矢印の方向に力が働いている

の上下運動にもひずみが生じる。そのひずみが顎関節症のような症状として現れることは十分考えられる。そのうえ頭蓋や頸椎までズレれば、ますます症状は悪化し複雑化していく。

実際、顎関節症の人は頭蓋や頸椎がズレていることが多い。特に環椎は左右に長いので、その環椎がズレると周りの組織が圧迫されやすい。そのせいで靭帯《じんたい》や下顎骨に障害が出やすいのである。

また顎関節症は歯科治療の現場でもたびたび問題になっている。顎関節症で口が開かないと歯の治療ができないからだ。そこで口が開かない患者には、頭蓋や頸椎のズレを矯正してから治療に当たっている歯科クリニックもある。その矯正の前後で機器による計測を実施したところ、あごの重心が即座に正常値に変化したことも確認されている。

こうしてさまざまな角度から「アシンメトリ現象」が引き起こすらせんの作用を調べていくと、ついに私はゲーテの形態学にまで行き着いたのである。

7　形態学の祖としてのゲーテと「らせん」の意味

私が初めて買った詩集はゲーテだった。その本は今でも私の手許にある。あれから半世紀も経つのに、買った当初と何ら変わりなく未だその内容を理解するには至っていない。後になって読んだ『ファウスト』にしても、私には何の感慨も浮かばなかった。これは翻訳の問題だろうか。だが原文で読めたところで、私にはゲーテを理解することなどできないのかもしれない。自分の文学的素養のなさとともに、ゲーテに対してはそんなあきらめにも似た感覚があった。ところが「アシンメトリ現象」の探究を続けるうちに、ゲーテと私は急接近して親しい間柄になった。彼の思考や目指していたものが、私の頭のなかで形をもって浮かび上がるようになったのである。

ゲーテといえば一般的には作家や詩人として知られた存在だ。しかし彼が残した自然科学に対する業績はあまり注目されることがない。美術界の人間であればゲーテの色彩学までは知っている。だが彼の形態学の研究となると、その存在を知る人の数はごく限られたものになるだろう。

形態学とは、生物をその「すがたかたち」すなわち形態を通して研究する学問である。形態はドイツ語ではゲシュタルト、ゲシュタルトの意味は「生きて動いているもの」であるから、形態学とは動的に変化する形から生き物の本質を探る学問だといえる。

ゲーテの創設した形態学を理解するには、解剖学者の三木成夫の記述が参考になる。自分はゲーテのファンではないといいながら、彼の生命形態学の底流にはゲーテの形態学がしっかりと横たわっている。そして彼も、人間の「すがたかたち」の学問体系において、その基礎を確立したのはゲーテだと評価しているのだ。

「ゲーテをして『生の根本原理』とまでいわしめた、あの蔓《つる》が描き出すらせん模様は、いまや宇宙の生きた象形文字としてわれわれの前に姿を現す」

このように三木は、らせんが宇宙の成り立ちから始まる全ての根源となることを、ゲーテ以上に詩的な表現で説いてみせた。私がゲーテの形態学で一番興味をもったのも、この「らせんは生の根本原理だ」という点である。

人類は高度に進化する過程で対称性を獲得した。しかしある種の方向性をもつことで、その対称性が破れた状態がらせんなのだ。私が発見した人体の「アシンメトリ現象」も、平面で見れば左右の非対称性だが、立体として捉えれば方向性をもって上昇していく「らせん現象」だと表現できる。

では人体にとってらせんとは何を意味するのか。そのことを私はずっと考えてきた。ゲーテと同じく、らせんに魅入られてしまったのである。そして長年この疑問に向かい続けてきた結果、ようやく三木の説くゲーテの形態学のなかにその答えを見出すことができた。

8　生長から終息に向かって反転する「らせん」

人体におけるらせんといえば、ＤＮＡの左巻きのらせん構造が頭に浮かぶ。次に思い出されるのが出産である。生れ出るとき、胎児はらせんを描いて産道を通り抜けるという。胎児と産道とはネジとネジ穴のような関係にあるのだ。そのらせんの向きは左右どちらなのかも知りたい。

そこである産婦人科医に、出産時のらせんは左巻きか右巻きかとたずねてみたことがある。その答えは、「(出産に立ち会っているときは)忙しくてそんなことじっくり観察している暇などない！」だった。

三木の著書『胎児の世界』には、彼が出産を目にした体験の記述がある。「あたり一面に羊水がとび散る。(中略)次の瞬間、頭のつむじをなぞるかのように赤ん坊の大きなからだがらせんを描いてとび出してくる」そして「赤ん坊のつむじと出産時の動きとは同じ方向のらせんであった」と続く。それなら一歩進めて、それが左右どちらに巻いたらせんだったのかも確かめておいてほしかった。

また彼の論文には、胎児のへその緒は発生学的な理由で左巻きになっていると書いてある。へその緒が左巻きなのは通説らしいが、必ずしも左巻きではないと書いた本もあった。だが仮にへその緒が左巻きと決まっているのなら、分娩時のらせんの方向が決まっていてもふしぎではない。

さらに彼の著書には、消化管発生と左右の形成の説明もあった。

人間の消化管は口から肛門までが一本の管でできているが、その管は最初のうちは左巻きでらせんを描き、途中からは右巻きのらせんへと反転するというのだ。つまり口から入った食べ物は、左巻きから右巻きへとらせんを描きながら消化管を通過することによって、その姿を栄養物から排泄物へと変化させていくのである。

ゲーテの著書のなかにも、らせんの反転に関する記述がある。「発芽によるこの生長は、完全な〔高等〕植物においては無限に続くことはなく、段階を追って頂点に達し、いわばその力の反対方向での終結点において、生長とは様相を異にする種子による生殖を生み出す」しかも「老齢の植物ほど、らせん的傾向を強める」とも記されていた。

このしくみは、「アシンメトリ現象」のもつらせんの意味を考えるうえで大きなヒントとなった。生命発生の根源現象であるらせんは、ある時点に達すると反転して終息へと向かう。この反転後の老化促進の役割を担うのが「アシンメトリ現象」なのかもしれない。すると「アシンメトリ現象」による形態の変化は終息へと向かう姿、いわば死に向かうためのメタモルフォーゼだといえる。

鮭は産卵のために生まれ故郷の川に上る。そのとき鼻はぐいと曲がり、背っ張りと呼ばれる姿へと変貌を遂げる。その姿に人間を重ねるなら「アシンメトリ現象」も決して特別なことではない。生命に課されたプロセスの一つに過ぎないことになる。ただしどうしても気がかりなのは、近年この変化の訪れが若年化し、急速に増加傾向にある点なのだ。

第11章

非対称化する人類

『死の勝利』（ピーテル・ブリューゲル）

中世ヨーロッパではペストの大流行によって当時のヨーロッパ人口の3分の1から3分の2にあたる人が死亡したと推定される。骸骨姿の「死」があらゆる階層へと襲いかかる様を描いた油彩作品。左下では立派な衣装をまとった王が、砂時計を持った骸骨によって突然の死を与えられた姿を描くことで死の平等性が表現されている。

1　半世紀でこんなに増えた人体の異変

私が子どもの時分、まだ町内には慶応生まれの人が生きていた。「え！　あの薬屋のばあさん、江戸時代の生まれなの⁉」などと話していた記憶があるから、一〇〇近い年齢だったのだろう。幕末の動乱、明治維新、大正デモクラシーに世界恐慌、二度の大戦の時代を生き通したとなると驚異的な人生だ。子どもだった私には化石のようなものすごい年寄りだとしか思えなかったが、昔話の一つでも聞いておけばよかった。

昔の話といえば、私は西岸良平のマンガ『三丁目の夕日』が好きで、書店で見かけるとつい買い込んでしまう。この作品の時代設定は昭和三〇年代なので、コマの隅々までが私が子どものころに見て育った風景そのままで見ていて飽きない。流行に疎い私は、マンガだけでなく音楽からファッションまで昭和仕様だが、昔は良かったなどといいたいのではない。医学や科学以外のこととなると新しさには関心がないだけである。

そしてなじむ間もなく平成も終わり、『三丁目の夕日』どころか昭和のことなどだれも懐かしがらない時代がやってくる。昭和のころにもてはやされていた現代美術も古臭いものになった。医学の世界でも平成育ちの医師が中堅となりつつある今、昭和のことなど忘れ去られてしまったようだ。そこに私は不安を感じることがある。そこで私のなかの昭和の記憶をたどることで、ここ半世紀ほどの間にいかに私たちの体に異変が生じたかを確認しておきたいと思う。

例えば現代ではあまりにも一般化した疾患に腰痛がある。昭和でも腰痛は珍しくはなかったが、当時の腰痛といえば、年寄りか新婚さんのものと相場が決まっていた。だから若い者が「腰が痛い」などといおうものなら、周りから含み笑いが漏れたものだった。

それが今では、整形外科は老若男女を問わず腰痛患者でいっぱいだ。腰痛持ちの小学生すら珍しくない。この現象を前にして、若い医師たちは自分が生まれる前から今と同じように腰痛患者が多かったと思っているだろう。しかし私が小学生のころは、周りに腰痛の子どもなど全くいなかったのだ。

大人の病気が子どもにもといえば、糖尿病が子どもにも増えているというニュースが世間を騒がせたことがある。高度経済成長とともに日本人の栄養状態が大きく変化していた時代だった。その少し前までは欠食児童が問題となっていて、逆に太った子どもは健康優良児として表彰されていたのだ。それが子どもまで糖尿病になるのだから、社会的には衝撃だった。そして今や腰痛だけでなく頭・首・肩・ひざ・足・かかとなど体中あちこち痛くて整形外科に通う小学生までいる世の中だ。

特にひざ痛は、昭和の時代には年寄りのものだと考えられていた。年寄りがなるものだから、ひざが痛むのは老化現象だと思ってあきらめていた。しかし思い返してみれば、当時の葬式では年寄りたちはみな座布団の上で正座していた。今のようにひざが痛いからといって椅子に座っている年寄りなどいなかったのだ。しかも老化であったはずのひざ痛がいつの間にか小学生にまで広がっているのだから、その原因が老化でないことは明らかである。

また昭和の教育を受けた人なら、うさぎ跳びを覚えているだろう。足腰を鍛錬するために屈んだ状態で跳びながら前に進む運動法で、当時は体育の授業で一斉にうさぎ跳びをやらされたものだった。ところが昭和も五〇年代に入ると、うさぎ跳びはひざを痛め、成長障害を起こす原因にもなるからといって禁止された。しかしうさぎ跳びでひざが痛くなった子どもなど見たことがなかった。また実際の統計でも、うさぎ跳びを禁止する前と後で子どもの成長には何の変化もなかったのだ。

それが平成に入ると、子どもの平均身長の伸びが止まってしまった。戦後の日本では経済の復興とともに栄養状態が向上し、子どもたちの平均身長も伸び続けた。昔は日本人の背が低いのは栄養状態が悪いせいだから、経済の発展とともに日本人の身長もいずれ欧米人に追いつくと思われていた。それなのにこれだけ栄養状態が改善しても、子どもたちの平均身長の伸びは止まってしまった。これは平成の間にＧＤＰが下がったことで栄養状態が悪化したからだとする意見もある。また日本人の遺伝子の限界点なのだとする声も聞かれる。

さらに昭和を振り返ると他にも驚くことがある。あのころは運動中に水を飲むなといわれていたことを覚えているだろうか。水を飲むとバテるといって、炎天下のマラソン大会だろうが容赦がなかった。指導者に命令されるがまま、一滴の水も飲まないで走り抜いたのである。今考えたら、よくぞ熱中症で死人が出なかったものだ。当時は熱中症を日射病と呼んでいたが、いずれにしてもそれで倒れる人などまずいなかった。人間の代謝のしくみが昭和と現在とで変わるはずはないから、ふしぎなことである。もちろん、熱中症の増加の理由を地球温暖化に結びつけるのはあまりに短絡的だ。

また頭痛や腰痛を始めとして、全身に痛みが出る複合的な体性痛を訴える人も増えている。今なら線維筋痛症だと診断されるだろうが、昭和の時代には、これらは単なる持病の神経痛にすぎないと認識されていた。つまりほとんど疾患として捉えられていなかったのである。まして若い者が血も出ていないのに「痛い」などといおうものなら、「たるんどる！」の一言で片づけられたものだ。

しかし現代ではこの発想は通用しない。そういった体性痛を抱える人が驚くほど増えただけでなく、その多くが原因不明であるため、ことごとく心理的ストレスが原因のうつ病だと診断されている。その結果、患者の受け皿として昭和には存在しなかった心療内科が登場した。そして心療内科が増えるにつれ、ますますうつ病の患者も増えていった。昭和でも躁うつ病の患者は一定数いたが、うつ病となると今ほど一般的ではなかったのだ。ましてうつ病になる子どもなどいなかった。「現代はストレス社会だから」という常套句ですら、もういいかげん古びた感があるだろう。

そして近年、急速に増加して低年齢化しているのが帯状疱疹だ。それこそ帯状疱疹といえば、昔は完全に年寄りの病気の代名詞だったから、老化による免疫低下が原因だと考えられていた。しかも一度かかれば二度はかからない病気のはずだった。それが今では老化など無縁の一〇代でも発症するばかりか、何度でも再発を繰り返すようになっている。

また帯状疱疹だけでなく、がんも免疫の低下で発症するといわれていた。従って免疫力さえ高めれば、がんが治ると思われていたのである。しかしがん治療ではひたすら免疫を上げることだけに終始し、肝心の「なぜ免疫力が下がったのか」については何も言及されてこなかった。これまたいつもの通り、ストレスが原因だといってお茶を濁す程度である。

がん患者は戦後になって急激に増え始め、昭和五六年には脳卒中を抜いて日本人の死因のトップに躍り出た。「すでにがんは治る病気になった」といわれる現在でも、がん患者の総数は増え続けている。特に肺がんは昭和四年ごろの統計には全く存在しなかったのに、平成五年には胃がんを抜いてがんによる死亡者の筆頭になった。

このように一挙に振り返ってみると、この半世紀に増加した疾患の発症には「アシンメトリ現象」による背骨のズレの影響が濃厚なのである。それならなぜ、「アシンメトリ現象」は急激に増加したのだろうか。その答えは明白だ。われわれ人類を取り巻く生活環境に、かつてないほど「アシンメトリ現象」を生み出す有害な物質が増えてしまったからである。では具体的には何が「アシンメトリ現象」を引き起こす原因となっているのだろうか。

2　危険なのは目の前のコメかコブラか

ある晴れた日の朝、私は庭先で片づけをしていた。すると目の前に四、五〇センチほどのロープが落ちていた。昨晩は風が強かったので、どこからか飛んで来たのだろう。そう思いながらそのまま作業を続けた。だがふと意識がロープに向かった瞬間、それがマムシだと気がついた。私はしっかりとその姿を目で捉えていたのに、全く実体が見えていなかったのだ。

インド南部のオーロヴィルに住んでいたころ、そのあたりでは家の内外にヘビがいるのが日常だった。コブラを始めとして大小取り混ぜ、色とりどりのヘビを二〇種類は見ただろうか。彼らは足元だけでなく上からもドサッと降ってくる。そういう生活では屋外はもちろんのこと部屋のなかであっても、切れたロープを見かけたらそれは必ず動く。それが常識だった。しかし人間同士と同じで、彼らとの間合いの取り方さえ気をつけていれば問題は起こらない。例え猛毒をもつコブラでも、彼らが怒ってあのファイティングポーズをとるほど近づかなければ安全なのだ。こういった自然の掟を知るには野性の勘が必要だが、それも暮らしのなかでいつしか獲得した。おかげで裸足の生活でもヘビやサソリの被害に遭うことはなかった。

ところが日本に帰ってくると、せっかく身につけた勘も活躍の場がない。帰国した当初はヘビやサソリどころか飲み水や食べ物まで、生活の全てが安全すぎて落ち着かないほどだった。それから長い年月が過ぎ、安全が確保された生活に慣れ切った結果、目の前の毒蛇にすら危険を感じることができなくなっていたのだ。

人間は一度安全だと思い込むと身近な危険が見えなくなってしまう。「アシンメトリ現象」が造り出す危険も、だれもが安全だと思っていた主食のなかにその原因が潜んでいたのだ。

イスラエルのテルアビブ大学の最新研究では、人類の食性は二〇〇万年の間は肉食だったと発表された。二〇〇万年とは原人とされるホモ・エレクトスのころからの話である。彼らは過剰狩猟によって地上の大型獣を食い尽くしてしまった。そこで主要な食糧源を失った人類は、一万年前ごろから植物性の栄養源を摂り入れることで飢えをしのぎ、徐々に雑食化していったというのだ。

動物の食性は主に肉食・草食・雑食の三つに分類され、これまで人類はずっと雑食だったと考えられていた。しかし肉が手に入らなくなったから仕方なく木の実や雑穀を食べ、ほどなくして農耕を始めることで食性を大きく変えて雑食に至ったのである。

今までは炭水化物・脂質・たんぱく質が三大栄養素として人類に重要かつ不可欠なエネルギー源だと考えられてきた。ところがわれわれが本来肉食動物であるならば、炭水化物の地位は大きく揺らぐことになる。

実はこのような食性の急激な変化が体の変化として「アシンメトリ現象」の原因になっている可能性がある。つまり人類にとって「アシンメトリ現象」の出現は一万年前にさかのぼることになる。さらにこのころから人類にかつては見られなかった疾患が生まれ始めたのかもしれないのだ。食性の変化が疾患の原因になり得ることは、草食動物である牛に肉骨粉を飼料として与えたせいで狂牛病が発生したことでもわかる。

また炭水化物のなかの糖質によって人類は虫歯に悩まされるようにもなった。もしも糖質が人間本来の食性に適するものであれば、他の草食や雑食の動物のように、糖質の摂取で虫歯になどならないはずである。しかも近年の研究では、糖質の摂取は虫歯だけでなく糖尿病や発がんにまで影響していることがわかってきた。

特にわれわれ日本人は六七六年の天武天皇による肉食禁止令から一九一二年の文明開化までの長きにわたってあまり肉食をしてこなかった。そのうち「コメさえ食べていればいい」と考えるようになり、コメ信仰の時代も長く続いた。しかしコメは糖質の塊だといってもよい。たった茶碗一杯のご飯に角砂糖一四個分もの糖質が含まれているのだ。これが健康に影響しないはずがない。

さらにコメには糖質だけでなく食物繊維も多いため消化に時間がかかる。おかげで日本人は西洋人に比べると腸が長い。だからわれわれは胴長・短足の体型になったのだとまでいわれている。

昭和のころ、国際線の飛行機に日本人が乗るとトイレのタンクがすぐにいっぱいになると話題になっていた。当時の航空会社のデータによると、日本人の排泄物の量は西洋人の倍もあったという。それだけ排泄量が多ければ食物繊維の摂取量も相当多かったのだから、腸が長くなって胴長にもなるわけだ。

これまであまり語られることはなかったが、コメや野菜に含まれる食物繊維の消化には胃や腸に大きな負担がかかっている。そもそも人間は草食動物のように食物繊維を体内で分解するための酵素も細菌も持っていない。だから食物繊維を摂っても体内で栄養素として取り込むことができない。食物繊維を分解できないから、消化管に食物を長時間滞留させることになる。すると三木成夫がいうように消化のために胃で血流が滞るから、交感神経による血流の切り替えがうまくできなくなる。

しかも血液と貯留した食物の重量も胃に負担をかけ続けている。胃は体の左に位置するので、その重量によって体の重心がますます左にかたよる。それが抗重力筋である脊柱起立筋の左側の緊張を増幅させ、結果として「アシンメトリ現象」を悪化させていると考えられるのだ。

では人間にとって食物繊維の役割とは何だろう。一般的には食物繊維の摂取は腸のお掃除などといわれ、便秘の解消につながると信じられてきた。しかし実際のところ腸に掃除など必要なのだろうか。食物繊維を摂ったぐらいで本当に便秘が解消するものなのか。仮に食物繊維が「アシンメトリ現象」を助長していたならば、便秘の解消どころか消化器疾患の引き金になっている可能性すらある。

以前の日本人には世界的に見て異常に胃がんが多かった。そのため胃がんは日本人の国民病ともいわれていた。だがその原因は、当時も今もわかっていないのである。ところがその胃がんの原因がコメが主食だったせいだとしたらどうだろう。過剰に糖質と食物繊維を摂取し続けたことで「アシンメトリ現象」が悪化し、それで胃がんが多かったのではないか。逆に近年胃がんが減ったのも、コメを食べる人が減ったからなのかもしれない。もしそうだとしたら、コメ文化に誇りをもつ民族としてはかなり受け入れ難い話だろう。

また食性の変化による「アシンメトリ現象」への影響は炭水化物だけではなかったのである。

3　複合汚染は人体に何をもたらしたのか

今から六六〇〇万年ほど昔、恐竜は彼らの仲間である鳥類を残して絶滅した。その絶滅を招いたのは、顕花植物がもつアルカロイドの毒だったとする説がある。「アシンメトリ現象」の研究を始めたころの私も、その原因物質として植物毒のアルカロイドを有力視していた。古代ペルーの古人骨に「アシンメトリ現象」の特徴が顕著だったことから、当時の彼らが日常的に摂取していたコカやタバコ、キニーネ、ジャガイモなどに含まれるアルカロイドに目をつけたのだ。

また現代では、一部のアルカロイドは抗がん剤として使われている。ある医師が患者に抗がん剤を投与した途端、「アシンメトリ現象」が極端に亢進して骨盤が大きくズレたのも確認されている。

アルカロイドと人類とのかかわりはおよそ一万年前から始まる。人類の歴史とは飢餓との戦いであった。いつ飢え死ぬかわからないので、われわれの祖先はみな食糧採集に明け暮れていた。地上のあらかたの大型獣を食いつくした人類は、草食動物でもないのに一万年前に農耕を始めてしまった。そうして農作物を大量に生産できるようになった結果、食性が変化して植物食が増えた。おかげで飢餓の不安は少しだけ遠のいたが、そこには植物毒という大きな問題が待っていたのである。

ほとんどの植物は毒性を備えることで虫や動物などの外敵から身を守っている。この毒性によって味が渋かったり苦かったりすれば食べられずにすむからだ。

もちろん人間にとっても毒は毒だ。キノコを含め、庭先に生えている植物を手当たり次第に食べていたら、まちがいなく植物毒で死ぬことになる。どこでも見かけるスイセン、キョウチクトウ、チョウセンアサガオ、スズランなども猛毒だし、民家のすぐそばにトリカブトが群生していたりもする。それなのに意外なほど多くの人が、身近に猛毒の植物があることを知らずに暮らしている。

コメの場合なら、植物毒のアルカロイドは胚芽の部分に多く含まれている。そのため玄米の状態でコメを食べ続けていると、必然的にアルカロイドの摂取量が増えてしまう。ジャガイモにしても、江戸時代に日本に渡ったときにはまだアルカロイド（ソラニン）が強すぎて一般的な食べ物にはならなかった。今のジャガイモでも芽や皮に含まれるソラニンを誤食すれば死ぬ危険性があるほどだ。

しかし品種改良などの農業技術の進歩によって、植物毒の少ない安全な穀物や野菜を大量に生産できるようになった。こうしてやっと人類最大の目標であった飢餓からの解放がとりあえず達成されたのである。

ところがそこにまた新たな問題が発生した。アルカロイドの少ない農作物の存在は、人間だけでなく虫たちにとってもたいへん都合がよかったのだ。おかげで農作物の増産は、そのまま害虫の大量発生の原因となってしまった。それに対抗して大量の殺虫剤が生み出され、それらが敵味方入り乱れた形で、人体にとてつもなく複雑な影響を及ぼすようになっている。特にDDTのような有機塩素系殺虫剤は、レイチェル・カーソンの『沈黙の春』が出版された一九六二年以来、世界中で注目されて次第に使用が禁止されていった。

しかし「アシンメトリ現象」には、この有機塩素系殺虫剤よりも有機リン系殺虫剤のほうが深く関与していると私は考えている。

以前、あるテレビ会社のスタッフが、海外取材の最中に誤って有機リン系殺虫剤を頭からかぶってしまった。有機リン系殺虫剤は地下鉄サリン事件のサリンと同じ経皮毒であるから、皮膚から体内に入らないように、彼はすぐさま全身を丹念に洗浄した。おかげでそのときは大事には至らなかったのだ。

ところが帰国した彼の体を見ると、そこにはくっきりと「アシンメトリ現象」が現れていた。そして間もなくして、彼は難病に指定されているサルコイドーシスを発症したのである。

有機リン系殺虫剤はその昔パラチオンと呼ばれ、ごく一般的な農薬だった。だがたびたび服毒自殺に用いられるほど毒性が強かったため、一九七一年には使用禁止になっている。

その有機リン系殺虫剤に接すると、神経伝達物質であるアセチルコリンのコリンエステラーゼによる加水分解が阻害される。そのため振戦やけいれん、引きつけなどの症状を経て死に至る。正にサリン事件の被害者と同じことが体に起きる。これらの症状の特徴から見て、私はこれも「アシンメトリ現象」の原因物質ではないかと疑ってきたのである。

しかし今では「アシンメトリ現象」の原因物質はアルカロイドや有機リン系殺虫剤だけとはいえなくなった。食品や薬、タバコなどに含まれる食品添加物の化学物質、水銀などの重金属、放射性物質などの要因がいくつも重なり合うことで、環境がまるごと複雑な作用を及ぼし合っているのだ。このような環境では犯人を探すよりも犯人ではない物質を特定するほうが難しい。「全ての物質で毒でないものはない」といったパラケルススの言葉の通りなのだ。

環境問題といえば、一九七五年に有吉佐和子の『複合汚染』が出版されて大きな話題となるまでは、特定の化学物質の毒性だけしか問題視されることがなかった。しかし有吉は、各種の化学物質が複合的に作用することで甚大な害をもたらすのだと警告した。その結果、複合的な汚染による影響がようやく社会問題として認識されるようになったのだ。

当時学生だった私もこの内容には強い衝撃を受けた。しかし七〇年代の日本といえば、環境破壊など意に介さず、ひたすら高度経済成長の路線をひた走っていた。その姿は世界から「破滅の急行列車」と揶揄されていたのである。

今改めて『複合汚染』を読み返してみると、「化学物質の種類はこの一〇〇年で二〇〇〇万倍にまでなっている」という数字に目が止まる。しかしそれから半世紀近くが過ぎた現在では、当時とは桁ちがいの数の化学物質が新たに生み出されている。その影響たるや、人類にとって全く未知の領域に突入してしまった。

さらに環境問題の要因は化学物質だけに留まらない。一八九五年、ドイツのレントゲン博士によって放射線が発見されて以来、軍事・発電・医療などへの利用を通して、われわれは自然界ではあり得なかった量の放射線にさらされて暮らしている。しかも原発爆発事故以降の日本は「破滅の急行列車」どころではなくなった。それに伴って「アシンメトリ現象」そのものも、アルカロイドが単独犯だったころより非常に難解で厄介な状態になっている。これがこの半世紀で腰痛からがんに至るまで、「アシンメトリ現象」が影響する疾患が急激に増えた理由なのである。

4　初めにオスがシンメトリなメスを選ぶ

これまでにも現代人の体の異変に気づいた人はいた。彼らはさまざまな角度から警鐘を鳴らしてきたが、その多くは人体の何が異常なのかを実感できていなかった。そのためいたずらに危機感をあおるだけで、漠然とした話に終始していたのである。なかでも環境ホルモンと呼ばれる物質によって生物がメス化する話は有名だろう。

「アシンメトリ現象」の研究を始めたころ、私は体の左右の非対称性に関する論文を集めたことがある。しかし当時の研究のほとんどは時代的にこの「生物メス化説」に引きずられ、統計の結果を雌雄で分けたものばかりだった。あとはせいぜいが左右差の有無だけに注目し、側性まで調べた研究はなかったのだ。

だが生物学の分野だけはちがった。左右の非対称性は絶滅種の特徴であると考えて、危機感をもって研究していたのである。ところがその危機感もすでに失われた。今では左右の非対称性は単なる男女の性的嗜好の話に堕してしまっている。そういった研究では、シンメトリつまり左右対称な顔の人はだれが見ても美しく、異性にも性的な魅力を感じさせるといわれる。これは一般書でも広く伝えられた話なのでご存じの方も多いだろう。

しかし私は、生物学の本で「シンメトリな顔が云々」などと表現されているのを見ると、「それは本当か？」と疑ってしまう。何よりも私が疑問に思うのは、生物学で左右の対称性を計測する際、その基準が非常にあいまいな点なのである。

左右の対称性を計測するには対称軸の存在が不可欠だ。対称軸とは左右対称の基準となる軸、すなわち左右を分ける直線のことである。脊椎動物であれば背骨がそれにあたる。しかし背骨は椎骨が積み上げられた構造なので、椎骨が部分的にズレると直線にはならない。その曲がった線を基準にして左右の長さを測っても正確な結果は出ない。筋肉の非対称な緊張なども考慮に入れるとすれば、この計測はひたすら困難な作業になる。しかし当の生物学では、まっすぐな対称軸が存在するのを前提として何の疑いもなく計測しているのである。

例えば生物学では、左右の乳房がシンメトリな女性ほど子だくさんだと考える。このとき左右の鎖骨の中間や胸骨の中心に基準を置いて左右の乳房との距離を測っている。しかし仮に胸椎がズレていれば、必然的にこれらの基準点もズレてしまう。これでは正確な計測などできるはずもない。

さらに顔面の対称性の計測となるとより一層、不正確になる。体の場合とちがって顔には背骨のように基準となるべき対称軸すらない。死んだ人の頭蓋の計測ならまだしも、生きている人間の顔面の計測となるとこれまでの技術では容易ではない。その不正確な基準から導いた数値を根拠にして顔の対称性を語るのは、科学としてお粗末だろう。

また生物学では鳥の羽の対称性についても研究されてきた。なかでも有名なのが、「メスは羽の長さや模様がシンメトリなオスを好む」という話である。メスがシンメトリなオスを選択した結果、左右対称な羽をもつオスの形質が子孫に受け継がれると考えているのだ。

しかしここでも問題がある。鳥も人間と同様、背骨がズレることがある点を考慮しなくてはならない。羽の長さといっても、適当に羽のつけ根のあたりから測っているはずだが、このとき背骨がズレていたら、正確に測ることなどできない。

以前、私は死んだセミを拾い集めて羽の長さの左右差を調べたことがある。ところが羽をむしって左右を合わせてみると、どれも寸分のちがいもない。従って統計にするまでもなかった。なかには羽化の途中で死んでいる個体もあったが、羽がピンと伸び切っていなくても羽の長さに左右差はなかった。ところが羽に左右差はないのに体は左右非対称になっていたのである。

ヒトの場合、「アシンメトリ現象」であれば骨盤の左側は頭頂方向にひねり上げられた形になる。骨盤の左側が上がると、必然的に左脚も引き上げられてしまう。この状態で仰向けになれば、左の足先は右よりも頭頂方向になるので左脚が短いように見える。これが整形外科では脚長差だと診断されることがあるが、実際に脚の長さが左右でちがっているわけではない。つまり単純に左右の長さのちがいを見ただけでは、体の非対称性を判断することはできないのだ。

そもそも本当にメス鳥はオスの羽の長さなど見ているのだろうか。よほど極端でない限り、左右の長さのちがいなどわかるはずがない。しかし人間でも、背骨がズレて「アシンメトリ現象」がきわまっている人は日常の動作がぎこちない。これが鳥であれば、左右差は飛び方や歩き方などのちがいとして現れるだろう。その動作の微妙なちがいを見て、メスはオスの生命力や繁殖力などを見きわめているのではないか。

他にも生物学の話で根本的にまちがっていると思うのは、「メスの鳥がオスを選んでいる」と想定している点だ。だがメスがどんなにシンメトリなオスが好みでも、先にオスのほうから求婚されなければ話が始まらない。生物学者なら、オスの気を引くために踊ってみせるメス鳥などいないことは熟知しているはずだ。試しに繁殖シーズンに野鳥の生態を観察してみれば、その場にメスが何羽いようが、ある特定の一羽のメスにオスが集中していることがわかるだろう。

この事実から見れば、やはり最初に問われるのはメスの形質なのである。生物学者のいう通り、繁殖に重要なのが左右の対称性なのであれば、まずオスが左右対称なメスを選び、選ばれたメスもまた、左右対称なオスを選択していることになる。その結果、左右対称なメスの形質が子孫に受け継がれると考えるべきなのだ。

同様のことは人間についてもいえる。最近、顔が左右非対称な新生児が増えている。もちろん顔が非対称だからといって全てが「アシンメトリ現象」だとはいえない。「アシンメトリ現象」とは、その非対称性が体の左半分に現れたときだけの現象なのである。しかし仮に新生児に「アシンメトリ現象」が現れているならば、その原因は胎児の段階で作られていることになる。すると母体に何らかの問題があって、それが胎児に影響したと考えられる。

前章で「アシンメトリ現象」とは抗重力筋が過度に働いた状態だと説明した。ところが胎児は羊水のなかに浮いているのだから、「アシンメトリ現象」の特徴を作るほど、まだ抗重力筋が機能していない。それなら母体からの影響が一番大きいはずなのだ。

では母体から胎児へはどのような影響があるのだろうか。「アシンメトリ現象」は主に化学物質・重金属・放射性物質などの有害物質によって引き起こされている。母体がそれらの有害物質に曝露した結果、胎児にもその影響が現れているのではないか。これは薬害と同じメカニズムである。

また母体に「アシンメトリ現象」があれば、内臓のらせん機能は亢進している。そのせいで子宮に過度なひねりの力が発生し、その力が胎児にも影響しているのかもしれない。もちろん実験できることではないので、こういった話は推測の域を出ない。しかし新生児に見られる「アシンメトリ現象」については、現時点では他の原因は考えられないのだ。

また私の知る限りにおいては、「アシンメトリ現象」が全く出ていない女性には妊娠・出産・授乳の際のトラブルが少ない。そして「アシンメトリ現象」のない母体から生まれた子どもにも、「アシンメトリ現象」のような異常は見られない。ここまでなら生物学者のいう通り、左右対称な形質が子に受け継がれた結果だといえるだろう。しかし実際には、非対称な形質をもつ人の割合は増えている。鳥と同じように繁殖時の選択によって淘汰されるものなら、その割

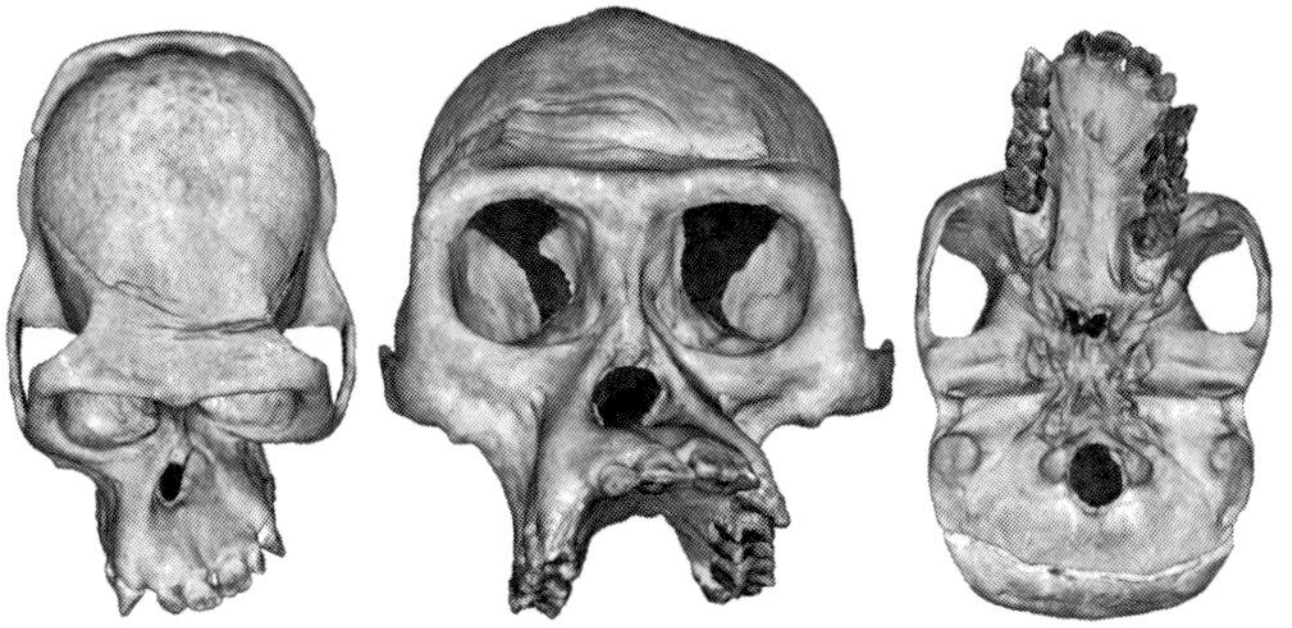

著しく左右非対称なゴリラの頭蓋

合は減少しているべきなのに、逆に現在は左右非対称な人が急速に増加しているのである。

生物学の世界では、左右非対称な個体の増加は、種《しゅ》の絶滅の予兆だといわれている。そのため鳥や虫、魚などの希少な種に対しては左右差の計測が行われてきた。著しく左右非対称なマウンテンゴリラも見つかっている。しかしこれまでは人類がこの計測の対象になることはなかった。日本を含め少子化が問題になる国が増えていても、地球規模では人類は増加し続けているからだ。

だが遅かれ早かれ、人類に対しても左右差の計測が必要だとだれかが気づくときが来るだろう。その計測方法として、「アシンメトリ現象」の有無が指標に採用されたならば、その驚くべき結果に世界が震撼するはずだ。しかもそれは、この地球環境にわれわれ自身が有害物質を撒き散らしてきた報いなのである。このことを自覚したとき初めて、人類が地球に生き永らえるための喫緊の課題が明らかになるだろう。

5　絶滅は静かに訪れる

人類はノアが体験した大洪水以来、幾多の危機を乗り越えてきた。今までに危機といわれてきたことも全て無事に過去のものとなった。公害によってあれほど汚れていた空も川も海も、見た目だけはすっかりきれいになっている。福島の原発の爆発も、あれだけの大事故でありながらチェルノブイリのような健康被害は全く報道されない。日本人の平均寿命はひたすら延び続け、世界最長寿のままだ。これなら心配したほど放射線による環境汚染も環境破壊も起きていないのではないか。そう思うのも無理はない。またそう思いたい人も多いだろう。しかし残念ながら何も起きていないわけではない。

民俗学者の宮本常一が、昭和三〇年ごろの広島湾で魚がいなくなったときの話を残している。

工場ができるまでは広島湾は魚の非常に多い湾だったんです。
あらゆる魚がおったんです。
ところが、その魚の中で何もかもが一緒に姿を消したのではないんです。
最初に姿を消したのは鰆《さわら》です。

鰆が全然取れなくなったんです。

しかしほかが取れるからだれもなんとも言わなかった。

そのうちに太刀魚が取れなくなったんです。

一匹もいまいない。

そういうように見ておりますと取れる魚がどの魚もだんだん減ってくるんならわかるんだが、ある種の魚は絶滅する。

そういうふうにしてだんだん減っていったんだから、魚が減っていくことがわからなかったんですね。


（宮本常一『なつかしい話』河出書房新社）

このように環境破壊の影で生き物は静かに姿を消していく。ここ数年は毎年のように、日本近海のイカやサケなどの漁獲量が激減したと報道されている。だがこれは魚介だけの問題ではない。先進諸国では人類も猛烈な勢いで少子化に突入している。すでに人類にまで異変が起きているのに、だれもその本質に気づいていないだけなのだ。

人類はマンモスハンターだった時代から、大型獣をことごとく絶滅に追いやり、文明を築くことで何度も環境破壊を繰り返してきた。ところが今回は破壊の矛先が向かうのは地球環境ではなく、私たちの体内環境なのである。その破壊は世代を越え、すでに遺伝子レベルの破壊にまで到達しているようにも見える。

もちろんどんな生き物もいずれは絶滅する運命にある。現在も地球上の至る所で毎日おびただしい数の種《しゅ》の生き物が絶滅し続けている。人類だってホモ・ハビリスやホモ・エレクトス、近いところではネアンデルタール人のように、過去には何度も絶滅しているのだ。ノーベル賞受賞者の物理学者ピエール・キュリーは「絶滅は進化の過程だ」といった。そうであるなら、われわれホモ・サピエンスの絶滅もそれほど悲観する話ではないのかもしれない。

おわりに――幼いころに見た世界

私の専門は美術である。だが学生のころは、「旅する巨人」とうたわれた宮本常一の民俗学に傾倒していた。その宮本先生と二人で、吉祥寺にあった武蔵野美術大学の民俗学資料室から駅までの道を歩いて帰ったことがある。

資料室から駅までは二〇分くらいの距離だった。いつもは大きな道を二度ほど曲がれば駅に着く。しかし先生はそんな道は通らないで細い路地から路地へと曲がってゆく。そして古い民家の軒先に立ち止まっては、「この家の造りはどこそこの地方のもので」と楽しげに話し始める。それが終わるとまた少し歩いては立ち止まり、その場所ごとに過去の人間の移動と歴史について事細かに教えてくれる。さらに「この木は」「この草は」「この石は」と目につくもの全ての解説をしてくれた。

そうやって最後の路地を抜けたとき、いきなり目の前に見慣れた駅前の雑踏が現れた。時計を見ればほんのわずかな時間であるのに、どこか遠くの静かな町を旅して帰って来たようだった。この旅によって私は宮本先生から見ることと学ぶことの意味を教わった気がする。

今では自然科学の分野ですら、研究テーマは自然からではなく研究室から始まる。それでは研究のための研究だ。宮本先生は民俗学者であったが、民俗学を研究したわけではない。目の前の事象に疑問をもち、とことん追究し続けた結果の蓄積が民俗学になったのだ。

私が四半世紀を費やしてきた「アシンメトリ現象」の研究も、この宮本先生の手法を踏襲している。だから学問としてはどのカテゴリーにも属していない。美術だといえば美術界から異論が出る。医学だといえば異論どころか猛攻撃を受ける。自分としては小学生の自由研究の延長みたいなものだから、どこにも何の利害関係もない。子どものように「なぜ、どうして?」とひたすら知りたいことを追究してきただけである。

幼いころは目に映るもの全てが新発見の連続だった。発見はすなわち驚きである。驚きは深く心に刻まれる。だから子どもの時分の記憶はいくつになっても鮮明なのだろう。

しかしいずれ何を見ても心が動くこともなく、淡々と時が過ぎるようになる。感動がないから、朝何を食べたのかも忘れてしまう。それが大人になるということかもしれない。

実は美術も医学も発見の集積を分類した学問なのである。その発見の一つ一つには先人の感動があった。ところがいつしか、発見はだれかが分類したカテゴリーのなかから見つけるものになった。様式を踏襲することに力点を置き、カテゴリーに属さない発見は発見だとはみなされなくなってしまっている。
そもそも新発見というのは同時代の人からは評価されにくいものである。発見は発見者一人で完結するものではない。その発見が新しい発見であることを、他のだれかに発見されなければならないのだ。できることなら本書がそのきっかけになってくれることを期待している。

二〇二二年七月

花山水清

〈じぶんでわかる「アシンメトリ現象」チェックリスト〉

A　からだの前面に見られる形の特徴

【顔部】

01　左目が小さくなる（睡眠不足だと特にひどくなる）。
02　左のまぶたが下がる。
03　左の黒目が上がって、左目だけ三白眼のようになる。
04　左目の瞳孔が縮む（縮瞳）。
05　鼻筋が左に曲がる。
06　左の鼻の孔が右に比べて円くなる。
07　鼻の下の溝が左に曲がる（左に引っ張られたような形になる）。
08　左のほうれい線（口の両脇のシワ）が深くなる。特に鼻の左脇のくぼみが深い。
09　左の口角が上がる。笑うと引きつったように口が左に曲がる。
10　左だけ八重歯が生える。両方生えているなら、左が右よりも上（頭頂側）から生える。
11　顔の左側の血色が悪く、しわっぽくて右半分よりも老けて見える。

12 顔の左半分が左の耳に向かって引っ張られたように変形する。
※顔部における「アシンメトリ現象」の特徴は、顔面神経麻痺や脳疾患などの特徴と混同されやすい。それらの疾患が原因であれば、こういった特徴は右にも左にも出る。

【頸部】

13 左側の胸鎖乳突筋（首の前面にある左右一対の太い筋）がこわばる。

【体幹】

14 左の鎖骨が頭頂側に上がる。
15 左の鎖骨のくぼみがなくなる。
16 左肩が上がる。
17 左肩が前方に巻き込むような形になる。
18 仰向けに寝ると左の肩が床に着かないで浮いた状態になる。
19 左の乳房が垂れない。仰向けになっても左だけ脇に垂れない。
20 授乳中でも左の乳房の静脈が見えない。
21 下腹部がポーンと張っている（痩せていても下腹が出ている）。
22 骨盤の左側が上がる（右に比べて上体方向にある）。

【下肢】

23 椅子に座ると左の膝が後方になって、左右の膝頭がそろわない。

右
左
左目が小さくなる
鼻が左に曲がる
左の鼻の穴が
丸くなる
左の口角が上がる
左胸鎖乳突筋が
こわばる
S. Hanayama

24　仰向けに寝ると両足先がそろわず、左脚が短いように見える。

B　からだの背面に見られる形の特徴

【頭部】

25　ぼんのくぼ（後頭骨下のくぼみ）が右に傾斜する。

26　ぼんのくぼ周辺に赤アザのような不定形のシミが出る。

【体幹部】

27　左の肩甲骨の位置が高い（右よりも頭側に上がる）。

28　左腰の起立筋部分が盛り上がって硬いしこり状になっている。

※必ず体位は「うつ伏せ」でチェック

29　左のウエストラインにくびれがなくてずんどうになる。

30　左の尻が垂れている。

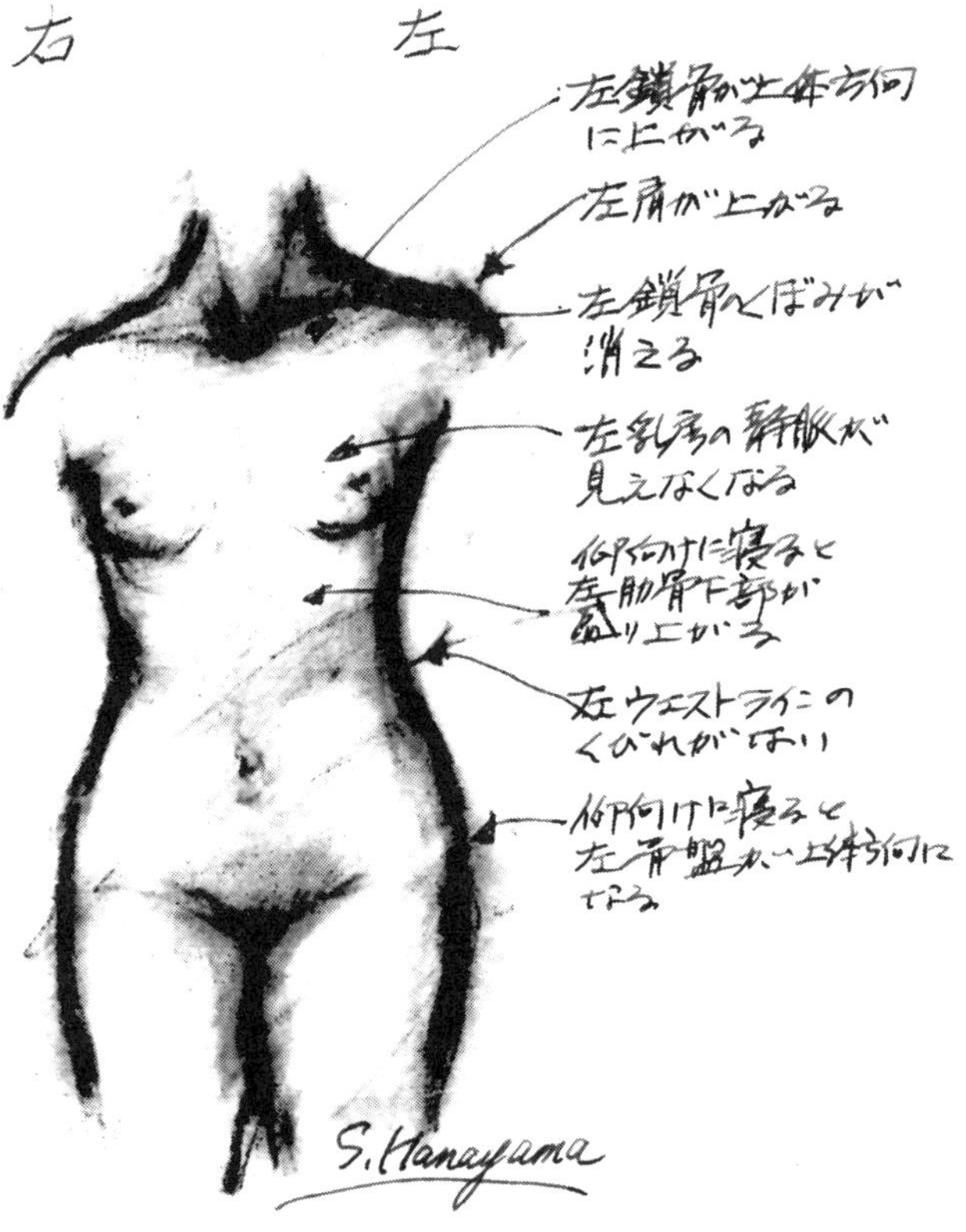
右
左
左鎖骨が上体方向に上がる
左肩が上がる
左鎖骨のくぼみが消える
左乳房の静脈が見えなくなる
仰向けに寝ると左肋骨下部が盛り上がる
左ウエストラインのくびれがない
仰向けに寝ると左骨盤が上体方向になる
S. Hanayama

C　からだの形以外に見られる特徴

31　右より左の肩が強くこっている。

32　マッサージなどで肩をもまれても左側だけ痛みの感覚がにぶい。

※この感覚のにぶさは肩だけでなく左半身全てに共通しているが、中枢神経由来と末梢神経由来とに分けられる。

33　耳掃除をすると左だけ痛みの感覚がにぶい。

34　左の耳の孔は汚れが少ない。

35　左の耳の孔が浅いように感じる。

36　左の鼻はにおいを感じにくい。

37　左の鼻からだけ鼻水が垂れる。

38　左の鼻から鼻水が垂れているのに気づかない。

39　かき氷を食べたり冷たい牛乳を一気飲みしたりすると、左のこめかみにはキーンとした痛みが来ない。

40　授乳時に赤ちゃんが左の乳房からは乳を飲みたがらない。

41　お腹がカチカチに硬い（腹筋が発達しているわけではない）。

42　左手の脈が弱い。

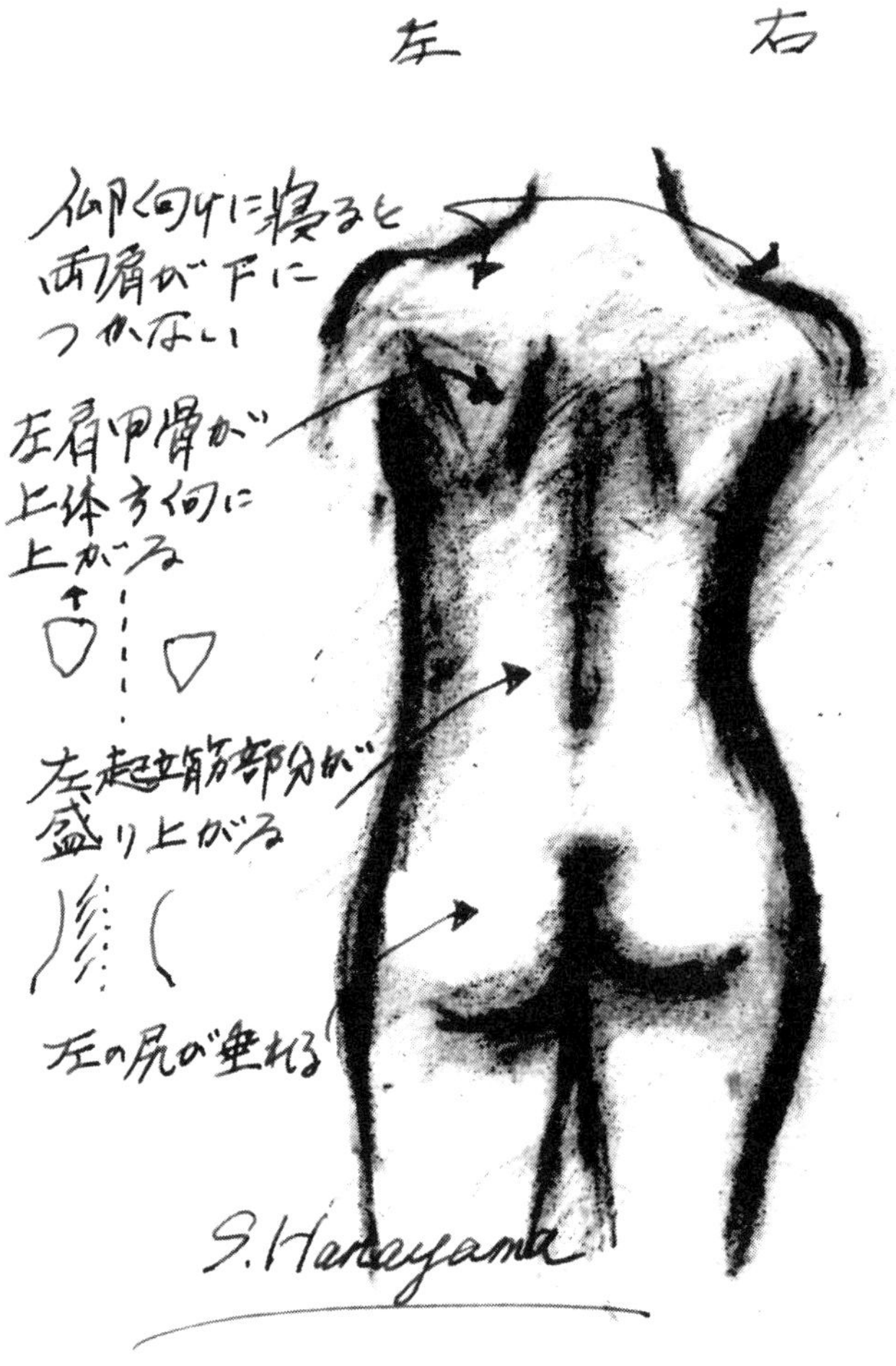
左
右
仰向けに寝ると
両肩が下に
つかない
左肩甲骨が
上体方向に
上がる
左起立筋部分が
盛り上がる
左の尻が垂れる
S. Hanayama

43　右の手のひらが汗ばんでいるときでも左手は汗をかかない。
44　手の表面がパーンと張っていて握ると硬い。
45　リラックスしようとしても、体から緊張が取れない。
46　寝ても疲れが取れない。むしろ朝起きたときのほうが疲れている。
47　暑くても汗が出ない。のぼせやすいので長湯ができない。
48　熱いものや辛いものを食べても汗が出ない。
49　夏でも手足が冷たくて、しもやけまでできる。
50　かぜを引いても高熱が出ない。

〈「アシンメトリ現象」（背骨のズレ）が原因だと考えられる症状〉

【頭の部位】

頭痛（片頭痛）、目まい、頭がボーッとする、頭が重い、頭の筋肉がつる、後頭部（えり足の上の部分）に赤いシミがある

【顔の部位】

顔がつる、顔がしびれる、目が見えにくい、視野が狭い、目がくもる、視界が暗く感じる、視界がまぶしく感じる、まぶたが重い、まぶたがピクピクする、

耳が聞こえにくい、耳閉、耳鳴り、

鼻が詰まる、片側だけから鼻水が垂れる、くしゃみが止まらない、

歯茎が痛い、舌がつる、口が開きにくい、口を開けると痛い、顎関節症

【頸の部位】

首が回らない、首が痛い、首が後ろに反らせない、のどが詰まりやすい、

声が出にくい、声がかすれる、咳が止まらない

【上肢の部位】

肩がこる、肩が重い、肩が痛い、腕を上げると肩が痛い（四十肩・五十肩）、

腕が上がらない、腕が痛い、腕がしびれる、腕がつる、

肘が痛い、肘が曲げにくい、手首が痛い、手首が曲げにくい、

片手に力が入らない、片手が冷える、片手がしびれる、

指が痛い、指が曲げにくい、指がしびれる、指先の感覚がにぶい

【胸の部位】

胸が痛い、乳房が痛い、脇が痛い、脇がつる、大きく息が吸えない、心臓に妙な鼓動がある（胸がドキドキする）

【腹の部位】

お腹が張る、下痢しやすい（過敏性大腸症候群、潰瘍性大腸炎）、消化が悪い、便秘、胃が重い、胃が痛い、下腹部が痛い、尿もれ、頻尿（過活動膀胱、間質性膀胱炎）、生理痛

【背の部位】

背中が痛い、肩甲骨の下が痛い、背中がつる、背中が冷える、腰が痛い（腰痛・脊柱菅狭窄症・腰椎椎間板ヘルニア）、腰が重い、腰に違和感がある、腰が動かない、腰を反らせない、尾骨が痛い

【会陰の部位】

陰部が痛い、陰部がつる、男性機能の低下（ＥＤ）

【下肢の部位】

お尻が痛い、股関節が痛い、股関節が動きにくい、鼠蹊部が痛い、左右の脚の長さがちがう、下肢が痛い、下肢がしびれる、下肢がつる、ひざが痛い、ひざに水が溜まる、ふくらはぎが硬い、くるぶしが痛い、アキレス腱が痛い、片足だけ冷える、かかとが痛い、かかとの感覚がない、爪先が痛い、爪先の感覚がない、足の指が痛い、足の指がしびれる、足の裏が痛い

【その他、ズレによる症状だと思われる疾患】

線維筋痛症、ムズムズ脚症候群、慢性疲労症候群

※部位分けは『解剖生理学 知識の整理』医歯薬出版（株）に準拠

（資料提供　モルフォセラピー医学研究所）

参考文献

Netter, Frank H.『ネッター解剖学アトラス原書第5版』相磯貞和訳、南江堂、二〇一一年
Platzer, W. 他『分冊解剖学アトラス　Ⅰ・Ⅱ・Ⅲ』平田幸男他訳、文光堂、二〇一一年
アイザックソン、ウォルター『レオナルド・ダ・ヴィンチ　上・下』土方奈美訳、文藝春秋、二〇一九年
相沢韶男『美者たらんとす』ゆいデク叢書、二〇一四年
会田雄次『ルネサンス』講談社現代新書、一九七三年
会田雄次・中村賢二郎『世界の歴史〈12〉ルネサンス』河出文庫、一九八九年
アータレイ、ビューレント『モナ・リザと数学』高木隆司・佐柳信男訳、化学同人、二〇〇六年
天野芳太郎『わが囚われの記――第二次大戦と中南米移民』中公文庫、一九八三年
アリストテレス『アリストテレス全集』（第1―17巻）岩波書店、一九六八―七三年
ヴァザーリ、ジョルジョ『美術家列伝　3――レオナルド・ダ・ヴィンチ、ミケランジェロ』田中英道・森雅彦訳、白水Uブックス、二〇一一年
ウィトルーウィウス『ウィトルーウィウス建築書』森田慶一訳、生活社、一九四三年
馬杉宗夫『黒い聖母と悪魔の謎――キリスト教異形の図像学』講談社現代新書、一九九八年
淡海三船『唐大和上東征伝』安藤更生訳註、唐招提寺、一九六四年
大岩孝司『がんの最後は痛くない』文藝春秋、二〇一〇年

小川鼎三『医学の歴史』中公新書、一九六四年
小川政修『西洋医学史』真理社、一九四七年
カーソン、レイチェル『沈黙の春』青樹簗一訳、新潮社、二〇〇四年
ケイン、リディア他『世にも危険な医療の世界史』福井久美子訳、文藝春秋、二〇一九年
ゲーテ、ヨハン・ヴォルフガング『ゲーテ形態学論集・植物編』木村直司訳、ちくま学芸文庫、二〇〇九年
――『ゲーテ形態学論集・動物篇』木村直司訳、ちくま学芸文庫、二〇〇九年
――『自然と象徴――自然科学論集』高橋義人編訳、前田富士男訳、富山房百科文庫33、一九八二年
――『ファウスト』秦豊吉訳、新潮社、一九三五年
――『ファウスト』森林太郎訳、岩波文庫、一九四八年
小池寿子『内臓の発見』筑摩選書、二〇一一年
サリバン、マイケル『中国美術史』新藤武弘訳、新潮選書、一九七三年
塩野七生『ルネサンスとは何であったのか』新潮文庫、二〇〇八年
杉原荘介編『日本考古学講座3　縄文文化』河出書房、一九五六年
鈴木隆雄・林泰史編『骨の事典』朝倉書店、二〇一八年
裾分一弘『レオナルド・ダ・ヴィンチ――手稿による自伝』中央公論美術出版、一九八三年
立川昭二『死の風景――ヨーロッパ歴史紀行』講談社学術文庫、一九九五年
田中英道『レオナルド・ダ・ヴィンチ――芸術と生涯』講談社学術文庫、一九九二年
――監修『西洋美術への招待』東北大学出版会、二〇〇二年

陳舜臣『西域余聞』朝日文庫、一九八四年
東京国立博物館『レオナルド・ダ・ヴィンチ――天才の実像』朝日新聞社、二〇〇七年
中井久夫『西欧精神医学背景史』みすず書房、一九九九年
夏井睦『炭水化物が人類を滅ぼす――糖質制限からみた生命の科学』光文社新書、二〇一三年
夏目漱石『永日小品』青空文庫
日本ミイラ研究グループ編『日本・中国ミイラ信仰の研究』平凡社、一九九三年
パストゥロー、ミシェル『ヨーロッパ中世象徴史』篠田勝英訳、白水社、二〇〇八年
長谷川堯『建築有情』中公新書、一九七七年
花山水清『からだの異常はなぜ左に現れるのか』廣済堂出版、二〇一四年
桧学『めまいの科学――心と身体の平衡』朝倉書店、一九九二年
ヒポクラテス『新訂 ヒポクラテス全集』大槻真一郎他訳、エンタプライズ、一九九七年
――『ヒポクラテス全集』今裕訳、名著刊行会、一九七八年
二木隆『臨床最前線で診るめまい』医学と看護社、二〇一六年
文化庁文化財保護部編『民俗資料選集〈8〉中付鷲者の習俗』国土地理協会、一九七九年
ヘンリ、スチュアート『「トイレと文化」考――はばかりながら』文春文庫、一九九三年
マキアヴェリ『新訳 君主論』池田廉訳、中公文庫BIBLIO、二〇〇二年
マンジャン、ロイク『科学でアートを見てみたら』木村高子訳、原書房、二〇一九年
三木成夫『生命形態学序説――根原形象とメタモルフォーゼ』うぶすな書院、一九九二年
――『生命形態の自然誌』うぶすな書院、一九八九年
――『胎児の世界――人類の生命記憶』中公新書、一九八三年

――『内臓とこころ』河出文庫、二〇一三年
――『人間生命の誕生』築地書館、一九九六年
宮本常一『なつかしい話』河出書房新社、二〇〇七年
山田勝三『馬の骨放浪記――大正生れの孤児が辿った人生ノート』一光社、一九七六年
山本紀夫『ジャガイモとインカ帝国――文明を生んだ植物』東京大学出版会、二〇〇四年
読売新聞情報部『数字でみるニッポンの医療』講談社現代新書、二〇〇八年
レオナルド・ダ・ヴィンチ『レオナルド・ダ・ヴィンチ 絵画の書』斎藤泰弘訳、岩波書店、二〇一四年
――『レオナルド・ダ・ヴィンチの手記 上・下』杉浦明平訳、岩波書店、一九五四年
ワインバーグ、ロバート・A『裏切り者の細胞がんの正体』中村桂子訳、草思社、一九九九年
――『がんの生物学』武藤誠訳、南江堂、二〇〇八年

著者紹介

花山水清（はなやま・すいせい）

美術家。元武蔵野美術大学非常勤講師。

1956年北海道生まれ。1979年武蔵野美術大学油絵科卒業後、売絵制作のかたわら土木作業、季節労働、高校の美術教師、着ぐるみ劇団の端役、喫茶店経営などの後、友人とTV番組やCMの特殊美術制作の会社を設立。「平成教育委員会」や「どうぶつ奇想天外！」などを担当。経営は順調だったが、実業界での生き方をリセットすべく1995年インドへ移住。しかし南印の酷暑で極度の栄養失調に陥り、幾度も生死の境をさまよった末に1年ほどであえなく帰国。現地で覚えたオイルマッサージで糊口をしのいでいるとき、人体の左半身に現れる異常な現象を発見。以後25年間、その原因解明と解消の研究に没頭。医学書に始まりアリストテレス、ゲーテに至るまで文献を漁り、ヒトの体だけでなくウシの鼻の孔まで覗き、古人骨調査のためにはペルーにも赴き、さらにダ・ヴィンチ作品などの西洋美術から日本の肖像彫刻、古今東西のあらゆる資料と格闘・思考して構築した理論は民間療法の世界でも評価され、一般社団法人を通して全国に普及。また医師のチームによる科学的検証も始まっている。

著書『からだの異常はなぜ左に現れるのか』（廣済堂出版刊）ほか。

公式サイト https://www.hnym.jp

モナ・リザの左目《ひだりめ》——非対称化《ひたいしょうか》する人類《じんるい》

2022年7月30日　初版第1刷発行©

著　者　花　山　水　清
発行者　藤　原　良　雄
発行所　株式会社　藤　原　書　店

〒162-0041　東京都新宿区早稲田鶴巻町523
電　話　03（5272）0301
FAX　03（5272）0450
振　替　00160-4-17013
info@fujiwara-shoten.co.jp

印刷・製本　中央精版印刷

落丁本・乱丁本はお取替えいたします
定価はカバーに表示してあります

Printed in Japan
ISBN978-4-86578-353-7

「ことばが失われた」時代に

セレクション
竹内敏晴の「からだと思想」
(全４巻)

四六変型上製　各巻口絵1頁　**全巻計13200円**

単行本既収録・未収録を問わず全著作から精選した、竹内敏晴への入門にして、その思想の核心をコンパクトに示す決定版。各巻に書き下ろしの寄稿「竹内敏晴の人と仕事」、及び「ファインダーから見た竹内敏晴の仕事」(写真＝安海関二)を附す。

(1925–2009)

■本セレクションを推す

木田　元(哲学者)
「からだ」によって裏打ちされた「ことば」

谷川俊太郎(詩人)
野太い声とがっちりしてしなやかな肢体

鷲田清一(哲学者)
〈わたし〉の基《もとい》を触診し案じてきた竹内さん

内田　樹(武道家、思想家)
言葉が身体の中を通り抜けてゆく

1 主体としての「からだ」　◎竹内敏晴の人と仕事１　**福田善之**

名著『ことばが劈かれるとき』と演出家としての仕事の到達点。

[月報] 松本繁晴　岡嶋正恵　小池哲央　廣川健一郎

408頁　**3300円**　◇978-4-89434-933-9 (2013年9月刊)

2 「したくない」という自由　◎竹内敏晴の人と仕事２　**芹沢俊介**

「子ども」そして「大人」のからだを問うことから、レッスンへの深化。

[月報] 稲垣正浩　伊藤伸二　鳥山敏子　堤由起子

384頁　**3300円**　◇978-4-89434-947-6 (2013年11月刊)

3 「出会う」ことと「生きる」こと　◎竹内敏晴の人と仕事３　**鷲田清一**

田中正造との出会いと、60歳からの衝撃的な再出発。

[月報] 庄司康生　三井悦子　長田みどり　森洋子

368頁　**3300円**　◇978-4-89434-956-8 (2014年2月刊)

4 「じか」の思想　◎竹内敏晴の人と仕事４　**内田　樹**

最晩年の問い、「じか」とは何か。「からだ」を超える「ことば」を求めて。

[月報] 名木田恵理子　宮脇宏司　矢部顕　今野哲男

392頁　**3300円**　◇978-4-89434-971-1 (2014年5月刊)

「生前の不遇」――「死後の評価」

ゴッホはなぜゴッホになったか

〈芸術の社会学的考察〉

N・エニック

三浦篤訳

現在最も有名な近代画家、ゴッホ。生前不遇だった画家が、死後異常なまでに評価され、聖人のように崇められるようになったのは何故か？　近現代における芸術家神話の典型を、気鋭の芸術社会学者が鮮やかに分析する。

A5上製　三五二頁　**三八〇〇円**
（二〇〇五年三月刊）◇978-4-89434-426-6

LA GLOIRE DE VAN GOGH　Nathalie HEINICH

人間ゴッホの真髄

書簡で読み解くゴッホ

〈逆境を生きぬく力〉

坂口哲啓

貧しく力弱き者に真底共感して、自分が着の身着のままになっても援助し、神話や聖書に形式的に題材を求めるのでなく、真の人間を描きぬいたゴッホ。弟テオ宛書簡を丹念に読み、苦悩と愛に満ちた内面が、力強く豊かな筆にどう結晶したかを読み解く。現代の我々に生きる力を与える絵画は、どのような精神の深みから生まれたか。

図版多数　カラー口絵八頁
四六上製　二八八頁　**二八〇〇円**
（二〇一四年六月刊）◇978-4-89434-975-9

言葉の力を宣伝に活用した先駆的画家ルドン！

「画家」の誕生

〈ルドンと文学〉

D・ガンボーニ

廣田治子訳

作品の宣伝や芸術家としてのイメージ戦略のために、積極的に言葉の力を活用した画家、オディロン・ルドン（一八四〇―一九一六）。ルドンの芸術と文学の複雑に絡み合った関係をスリリングに解き明かす画期的なルドン論。作品六一点掲載。

口絵四八頁
A5上製　六四〇頁　**九五〇〇円**
（二〇一二年一一月刊）◇978-4-89434-889-9

LA PLUME ET LE PINCEAU　Dario GAMBONI

国家を喪失した民を魅了したものとは

ウクライナの発見

〈ポーランド文学・美術の十九世紀〉

小川万海子

列強により三分割され、「国家」を喪失していた十九世紀ポーランドにおいて、詩人・画家たちを魅了してやまなかった、かつての領土「ウクライナ」。「ウクライナ」という空間を創造の源泉として生み出された文学作品及び貴重な美術作品を多数掲載し、ポーランド芸術の核心を初紹介する意欲作。

カラー口絵一六頁
四六上製　二五六頁　**三〇〇〇円**
（二〇一一年八月刊）◇978-4-89434-817-2

印象派女性画家の画期的評伝

黒衣の女 ベルト・モリゾ

〔1841–95〕

D・ボナ
持田明子訳

近代画家の中でも女性画家として光彩を放つモリゾ。家庭のささやかな情景を捉え、明るい筆づかいで描きこむ彼女は、かのマネの絵の有名なモデルでもある。未発表資料を駆使し、その絵画への情熱を描きだす。**図版多数**

A5上製　四〇八頁　**三三〇〇円**
（二〇〇六年九月刊）
◇978-4-89434-533-1

BERTHE MORISOT　Dominique BONA

西欧での日本研究の実態に迫る！

国境を越えた日本美術史

〔ジャポニスムからジャポノロジーへの交流誌1880–1920〕

南明日香

書簡や資料写真などの一次資料から、百余年前の西欧でトレッサン、ミュンスターベルクら在野の研究家が、欧米と日本で情報を交換し、互いの知識を深め合いつつ日本美術作品の背景や精神性までをも追求しようとした軌跡を明らかにする初の試み。**カラー口絵一六頁**

第36回ジャポニスム学会賞

A5上製　四〇〇頁　**五五〇〇円**
（二〇一五年一月刊）
◇978-4-86578-012-3

「素顔」幻想をぶっ飛ばせ！

岡本太郎の仮面

貝瀬千里

当初は「顔」をほとんど描かなかった岡本太郎が、晩年の作品の実に八割以上で「顔／仮面」と直接関連するものを描いたのはなぜか。巨人・岡本太郎に斬新な光を当て、「仮面」を通してその思想の核心に迫る、気鋭による野心作。

口絵八頁

第5回「河上肇賞」奨励賞

四六上製　三三六頁　**三六〇〇円**
（二〇一三年一月刊）
◇978-4-89434-903-2

変容する美術市場を徹底分析

国際 日本 美術市場総観

〔バブルからデフレへ1990–2009〕

瀬木慎一

バブル期の狂乱の「美術ブーム」とは、一体何だったのか!?　バブル後から現在までの美術市場を徹底分析。美術との関わりから、個人／国家／企業と文化のあるべき姿を模索。美術商、オークション会社、美術館など美術関連施設、百貨店など美術関連企業、美術教育者、美術作家……必読の書！

口絵四頁

A5上製　六二四頁　**九五〇〇円**
（二〇一〇年六月刊）
◇978-4-89434-710-6

近代日本「西洋美術」界の理論的支柱

美術批評の先駆者、岩村透
〈ラスキンからモリスまで〉

田辺 徹

東京美術学校（現・東京芸大）教授として、初めて西洋美術史を体系的に導入、さらに私費で『美術週報』誌を創刊して美術ジャーナリズムを育成。黒田清輝、久米桂一郎ら実作者と二人三脚で近代日本に〈美術〉を根付かせた岩村透の初の本格評伝。

口絵四頁

四六上製　四一六頁　**四六〇〇円**
（二〇〇八年一一月刊）
◇978-4-89434-666-6

元『太陽』編集長が綴る、美術、音楽、まち、人

戦争と政治の時代を耐えた人びと
〈美術と音楽の戦後断想〉

田辺 徹

岡鹿之助、瀧口修造らとの敗戦後間もない頃からの交流、そして冷戦崩壊を挟む激動の欧州で、美術を介して接した人々とまちの姿。廃刊寸前だった『太陽』を復活させた編集長として、また、父の衣鉢をつぐ美術史家として、美術出版に貢献してきた著者が、折に触れて書き留めた、珠玉の戦後私史。

四六上製　二二四頁　**二八〇〇円**
（二〇一六年八月刊）
◇978-4-86578-084-0

現代美術は「事件」だ！

現代美術茶話

海上雅臣

「板画家」棟方志功を世界的注目へと導き、孤高の書家・井上有一の評価に先鞭をつけた、「行動的美術評論家」海上雅臣（1931-2019）。主宰する美術サロンの機関誌『六月の風』に三〇年以上にわたって書き綴ってきた、井上有一、同時代美術、美術市場そして現代社会をめぐる随想を初集成。［付］『六月の風』総目次（1～262号）

口絵一六頁

四六上製　四八〇頁　**三〇〇〇円**
（二〇一九年五月刊）
◇978-4-86578-224-0

鉛筆画の世界を切り拓いた画家、初の自伝

いのちを刻む
〈鉛筆画の鬼才、木下晋自伝〉

木下 晋　城島徹編著

人間存在の意味とは何か、私はなぜ生きるか。芸術とは何か。ハンセン病元患者、瞽女、パーキンソン病を患う我が妻……極限を超えた存在は、最も美しく、最も魂を打つ。彼らを描くモノクロームの鉛筆画の徹底したリアリズムから溢れ出す、人間への愛。極貧と放浪の少年時代から現在までを語り尽くす。

口絵一六頁

A５上製　三〇四頁　**二七〇〇円**
（二〇一九年一一月刊）
◇978-4-86578-253-0

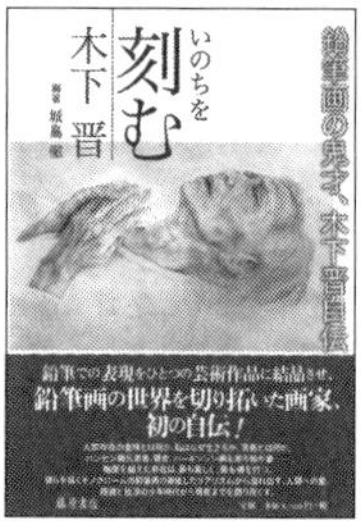

「水俣病」は、これから始まる

全身病
（しのびよる脳・内分泌系・免疫系汚染）

白木博次

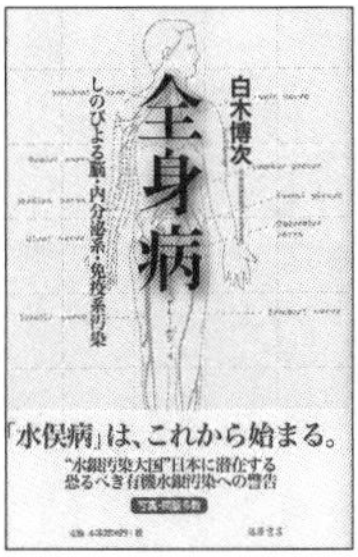

「水俣病」が末梢神経のみならず免疫・分泌系、筋肉、血管の全てを冒す「全身病」であると看破した神経病理学の世界的権威が、「環境ホルモン」の視点から、「有機水銀汚染大国」日本を脅かす潜在的水銀中毒を初めて警告！

菊大上製　三〇四頁　**三二〇〇円**
（二〇〇一年九月刊）
品切◇978-4-89434-250-7

「医の魂」を問う

冒される日本人の脳
（ある神経病理学者の遺言）

白木博次

東大医学部長の地位を定年前になげうって、ワクチン禍、スモン、水俣病訴訟などの法廷闘争に生涯を捧げてきた一医学者が、二十世紀文明の終着点においてすべての日本人に向けて放つ警告の書。

四六上製　三二〇頁　**三〇〇〇円**
（一九九八年一二月刊）
品切◇978-4-89434-117-3

新型ウイルス被害予想の唯一の手がかり

日本を襲ったスペイン・インフルエンザ
（人類とウイルスの第一次世界戦争）

速水　融

世界で第一次大戦の四倍、日本で関東大震災の五倍の死者をもたらしながら、忘却された史上最悪の〝新型インフルエンザ〟。再び脅威が迫る今、歴史人口学の泰斗が、各種資料を駆使し、その詳細を初めて明かす！

四六上製　四八〇頁　**四二〇〇円**
（二〇〇六年二月刊）
◇978-4-89434-502-7

二〇一八年ノーベル生理学・医学賞受賞！

生命科学の未来
（がん免疫治療と獲得免疫）

本庶　佑

対談＝川勝平太

「医学的な研究は、長い眼で見て、本当に基礎的なことから思いがけない大きな発見が出る。」（本庶佑）
免疫学との出会い、免疫の多様化が実現される仕組みを解明した画期的研究、ノーベル賞受賞をもたらした抗体の発見に至る軌跡、そして、生命科学が世界的に注目されている中での基礎研究への投資の重要性などを縦横に語る。

B6変上製　二四〇頁　**二二〇〇円**
（二〇一八年一一月刊）
◇978-4-86578-202-8